N4合格！
日本語能力試験問題集
The Workbook for the Japanese Language Proficiency Test

N4 読解
スピードマスター

Quick Mastery of N4 Reading
N4 读解 快速掌握
N4 독해 스피드 마스터
Nắm Vững Nhanh Đọc Hiểu N4

桑原里奈・木林理恵 共著

模擬試験(2回)付き

英・中・韓・ベトナム語の部分訳付き

Jリサーチ出版

はじめに

　日本語能力試験は、日本語に関する知識とともに実際に運用できる日本語能力を測ることを重視しています。本書は、日本語能力試験の読解の試験問題を参考に、日本語を学習するみなさんが、実際の生活の中で必要な情報をぱっと探し出せるようになったり、抵抗を持たずにかんたんな文章を読めるようになったりすることを目指して作成しました。読解の設問形式にあわせて、メール・案内文・さまざまなトピックの読み物など、いろいろな文章をのせました。初級の段階では、まとまった文章を読むことがあまりないと思います。この本を利用して、文章を読むことになれてください。本の最初のほうには、ウォーミングアップとして、文章を読んで理解するときのポイントとそれに対応した練習をのせました。じっくり練習してください。

　本書が日本語能力試験を受験するみなさんのお役に立てることを願っています。

桑原里奈・木林理恵

Preface ／前言／머리글／ Lời mở đầu

The Japanese Language Proficiency Test (JLPT) places emphasis on evaluating students' knowledge of Japanese as well as assessing their ability to make practical use of the language. We have written this book with the aim of helping Japanese language learners to quickly find the information they need in their everyday life and to read simple sentences without difficulty, based on the reading comprehension questions in the Japanese Language Proficiency Test. We have included e-mails, leaflets, noticeboards and short passages which are similar to the reading comprehension questions in JLPT. At the elementary level, we think it is difficult for you to read long, meaty passages. By using this book, please get used to reading Japanese. At the beginning of the book, we have included a "Warming up" section which introduces points which are useful in understanding passages, and also gives you practise in reading them. Please spend some time thoroughly practising this section.

We hope that everybody who is going to take the Japanese Language Proficiency Test will find this book useful.

日语能力考试重视测试日语知识和日语的实际运用能力。本书以日语能力考试的读解试题为参考，目的是为了使日语学习者能在实际生活中把握必要的信息，毫无障碍地阅读简单的文章。根据阅读理解的设问，编写了邮件、指南书和各种题材的文章。日语学习的初级阶段，学习者读长篇文章的机会较少。大家可以利用这本书，习惯阅读文章。本书的开头部分，作为热身阅读，编写了阅读文章时所理解的知识点和与之相对应的练习。大家要好好理解。

希望本书能为参加日语能力考试的日语学习者给予帮助。

일본어 능력시험은 일본에 대한 지식과 함께 실제로 운용할 수 있는 일본어 능력을 재는 것을 중시하고 있습니다. 본서는 일본어 능력시험의 독해시험문제를 참고로 일본어를 학습하는 여러분이 실생활 속에서 필요한 정보를 찾을 수 있게 되거나 거부감을 갖지 않고 간단한 문장을 읽을 수 있게 되는 것을 목표로 작성하였습니다. 독해 설문 형식에 맞춰 메일, 안내문, 다양한 화제의 이야기 등의 여러 문장을 실었습니다. 초급 단계에서는 긴 문장을 읽을 경우는 별로 없을 것입니다. 이 책을 이용하여 문장을 읽는 것에 익숙해지길 바랍니다. 책의 앞부분에는 위밍업으로 문장을 읽고 이해할 때의 포인트와 그것에 대응한 연습을 실었습니다. 시간을 들여 연습해 주세요.

본서가 일본어 능력시험을 보는 여러분의 도움이 되기를 바랍니다.

Kỳ thi Năng lực tiếng Nhật coi trọng việc kiểm tra kiến thức tiếng Nhật cũng như năng lực tiếng Nhật vận dụng vào thực tế. Cuốn sách này được viết dựa trên việc tham khảo bài thi đọc của Kì thi năng lực tiếng Nhật nhằm giúp người học tiếng Nhật có thể tìm ra ngay được những thông tin cần thiết trong cuộc sống thực tế và có thể đọc được những đoạn văn đơn giản mà không cảm thấy e ngại. Rất nhiều đoạn văn dưới các hình thức như thư điện tử, văn bản hướng dẫn, các bài đọc với nhiều chủ đề được biên tập tương ứng với các hình thức ra câu hỏi trong bài thi đọc hiểu. Ở giai đoạn đầu tiên, người học thường không được đọc nhiều các bài đọc đầy đủ. Quý vị hãy dùng cuốn sách này và làm quen với việc đọc các đoạn văn. Ở phần đầu của cuốn sách là phần khởi động với các lưu ý khi đọc và lý giải đoạn văn cũng như các bài luyện tập tương ứng với các điểm lưu ý đó. Quý vị hãy luyện thật kĩ phần này!

Chúng tôi rất mong cuốn sách này sẽ giúp ích cho quý vị trong việc dự thi kỳ thi nănglực tiếng Nhật.

もくじ

Table of contents ／目录／목차／Mục lục

- ◆ **はじめに** ・・ 2
  Preface ／前言／머리글／Lời mở đầu

- ◆ **日本語能力試験と読解問題** ・・ 6
  Japanese Language Proficiency Test and reading comprehension exercises ／日语能力测试及读解问题／
  일본어 능력 시험과 독해 문제／Kỳ thi năng lực tiếng Nhật và các bài thi đọc hiểu

- ◆ **この本の使い方** ・・・ 8
  How to use this book ／本书指南／이 책의 사용법／Cách sử dụng sách này

PART 1 ウォーミングアップ──読解力アップのポイント ・・ 11
Warming up ─ hints for improving your reading comprehension skills ／准备 ─ 提高读解能力的要点／
워밍업 ─ 독해력 향상을 위한 포인트／Khởi động ─ điểm lưu ý để nâng cao khả năng đọc hiểu

1 文章を読む基本練習 ・・ 14
Basic reading practice ／阅读文章的基本练习／문장을 읽는 기본 연습／Luyện tập đọc hiểu cơ bản

ボトムアップ Bottom-up ／下情上达／보텀업／Bottom-up: từ dưới lên trên   14

◆ 一文を理解する ・・・14
Grasp the meaning of a sentence ／理解一篇短文／한 문장을 이해한다／Hiểu từng câu một

  1. 文の構造　The structure of the sentence ／文章的结构／문장의 구조／Cấu trúc câu ・・・14
  2. 文末表現　The expressions of the sentence end ／句末的表达方式／문 말 표현／Biểu hiện cuối câu ・・・18
  3. 副詞　The adverbs ／副詞／부사／Phó từ ・・・20

◆ 文のつながりを理解する ・・・22
Grasp the thread of the sentence ／理解文章里各部分的联系／문장의 연결을 이해한다／Hiểu cách kết nối giữa các câu

  4. 指示語　Demonstrative pronouns ／指示词／지시어／Từ chỉ thị ・・・22
  5. 省略　Omissions ／省略／생략／Lược bỏ ・・・24
  6. 接続表現　Conjunctions ／接续表现／접속 표현／Biểu hiện kết nối ・・・26

トップダウン Top-down ／上情下达／톱다운（상부에서 하부로）／Top-down: từ trên xuống dưới   28

◆ 自分が持っている知識を活用して、文章を読む ・・・28
Read the sentence bearing in mind what you already know about the context ／利用自己所学过的知识来阅读文章／
자신이 가지고 있는 지식을 활용하여 문장을 읽읍시다／Sử dụng kiến thức mình có để đọc bài

4

2 いろいろな文書 ・・・・・・・・・・・・・・・・・・・・・・・・・・・・・ 30
　　ぶんしょ
　　Various types of documents／各式各样的文章／여러 유형의 문서／Các loại văn bản

3 テーマ別キーワード ・・・・・・・・・・・・・・・・・・・・・・・ 36
　　　　べつ
　　Keywords relating to various topics／主题分类的关键词／테마 별 키워드／Từ chìa khoá theo chủ đề

PART 2　実戦練習 ・・・・・・・・・・・・・・・・・・・・・・・・・・・・・・・・・・・ 43
　　　　　じっせんれんしゅう
　　　　　Practice Exercises／实战练习／실전 연습／Luyện tập thực hành

短文　　Short passage ／短文／단문／Đoạn văn ngắn　　　 (1) ～ (24)　…44
たんぶん

中文　　Medium-length passage ／中文／중문／Đoạn văn vừa　 (1) ～ (6)　…68
ちゅうぶん

情報検索　Searching for information ／信息检索／정보검색／Tìm kiếm thông tin　(1) ～ (6)　…80
じょうほうけんさく

PART 3　模擬試験 ・・・・・・・・・・・・・・・・・・・・・・・・・・・・・・・・・・・ 93
　　　　　もぎしけん
　　　　　Mock Examinations／模拟测试／모의고사／Kiểm tra mô phỏng thực tế

第1回　　the 1st／第一次／제 1 회／Lần thứ nhất　…94
だいかい

第2回　　the 2nd／第二次／제 2 회／Lần thứ hai　…102
だいかい

解答用紙　Answer sheet／卷子、试卷／답안지／Giấy ghi câu trả lời ・・・・・・・・・・・・・ 110
かいとうようし

〈別冊〉　解答と解説・・・・・・・・・・・・・・・・・・・・・・・・・・・・・・・・・ 2
　べっさつ　かいとうかいせつ
　〈Appendix〉Answer and Explanation ／〈分册〉答案与解说／
　〈별책〉해답과 해설／〈biệt sách〉Đáp án và giải thích

日本語能力試験と読解問題

Japanese Language Proficiency Test and reading comprehension exercises／日语能力考试和读解问题／
일본어 능력 시험과 독해 문제／Kỳ thi năng lực tiếng Nhật và các bài thi đọc hiểu

- 目的：日本語を母語としない人を対象に、日本語能力を測定し、認定すること。
  ※課題遂行のための言語コミュニケーション能力を測ることを重視。
- 試験日：年2回（7月、12月の初旬の日曜日）
- レベル：N5（最もやさしい）→ N1（最もむずかしい）
  N1：幅広い場面で使われる日本語を理解することができる。
  N2：日常的な場面で使われる日本語の理解に加え、より幅広い場面で使われる日本語をある程度理解することができる。
  N3：日常的な場面で使われる日本語をある程度理解することができる。
  N4：基本的な日本語を理解することができる。
  N5：基本的な日本語をある程度理解することができる。

レベル	試験科目	時間	得点区分	得点の範囲
N1	言語知識（文字・語彙・文法）	110分	言語知識（文字・語彙・文法）	0～60点
	読解		読解	0～60点
	聴解	55分	聴解	0～60点
N2	言語知識（文字・語彙・文法）	105分	言語知識（文字・語彙・文法）	0～60点
	読解		読解	0～60点
	聴解	50分	聴解	0～60点
N3	言語知識（文字・語彙）	30分	言語知識（文字・語彙・文法）	0～60点
	言語知識（文法）・読解	70分	読解	0～60点
	聴解	40分	聴解	0～60点
N4	言語知識（文字・語彙）	25分	言語知識（文字・語彙・文法）	0～120点
	言語知識（文法）・読解	55分	読解	
	聴解	35分	聴解	0～60点
N5	言語知識（文字・語彙）	20分	言語知識（文字・語彙・文法）	0～120点
	言語知識（文法）・読解	40分	読解	
	聴解	30分	聴解	0～60点

※ N1・N2の科目は2科目、N3・N4・N5は3科目

- 認定の目安：「読む」「聞く」という言語行動でN5からN1まで表している。
- 合格・不合格：「総合得点」と各得点区分の「基準点（少なくとも、これ以上が必要という得点）」で判定する。

☞ くわしくは、日本語能力試験のホームページ〈https://www.jlpt.jp/〉を参照してください。

N4のレベル

	N4のレベル
読む	●基本的な語彙や漢字を使って書かれた日常生活の中でも身近な話題の文章を、読んで理解することができる。
聞く	●日常的な場面で、ややゆっくりと話される会話であれば、内容がほぼ理解できる。

読解の問題構成

		大問 ※1～3は文法の問題	小問数	ねらい
言語知識・読解	4	内容理解 （短文）	3	学習・生活・仕事に関連した話題・場面の、やさしく書き下ろした100~200字程度のテキストを読んで、内容が理解できるかを問う。
	5	内容理解 （中文）	3	日常的な話題・場面を題材にやさしく書き下ろした450字程度のテキストを読んで、内容が理解できるかを問う。
	6	情報検索	2	案内やお知らせなど書き下ろした400字程度の情報素材の中から必要な情報を探し出すことができるかを問う。

※ 大問の番号や小問の数は変わる場合もあります。

//

この本の 使い方

How to use this book ／本书的使用方法／이 책의 사용법／Cách sử dụng sách này

PART 1 ウォーミングアップ ——読解力アップのポイント

Warming up —hints for improving your reading comprehension skills
准备——提高读解能力的要点
워밍업——독해력 향상을 위한 포인트
Khởi động —điểm lưu ý để nâng cao khả năng đọc hiểu

1 文章を読む基本練習

Basic reading practice ／阅读文章的基本练习／
문장을 읽는 기본 연습／Luyện tập đọc hiểu cơ bản

読解問題を解く前に、文章を読むためのポイントを紹介しますので、練習しましょう。

There are some hints to help you with reading comprehension, so practice using the hints before answering questions about a passage.

在阅读问题之前，介绍阅读文章的要点，进行练习。

독해 문제를 풀기 전에 문장을 읽기 위한 포인트를 소개하였으니 연습해 봅시다.

Trước khi làm bài, hãy luyện tập những điểm lưu ý khi đọc hiểu.

2 いろいろな文書

Various types of documents ／各式各样的文章／
여러 유형의 문서／ Các loại văn bản

案内、手紙、取扱説明書など、いろいろな文書に慣れましょう。それぞれよく使われるキーワードも紹介しています。

Practice reading various types of documents such as brochures, letters and instructions. Depending on the topic, there are particular key words which appear frequently.

本书会让您习惯指南、信件、说明书等各式各样的文章。还介绍有各类文章中经常使用的关键词。

안내 , 편지 , 취급설명서 등 여러 문서에 익숙해 집시다 . 각각 자주 사용되는 키워드도 소개하고 있습니다 .

Hãy quen với nhiều loại văn bản như văn bản hướng dẫn, bức thư, bản hướng dẫn sử dụng v.v.. Cũng có phần giới thiệu các từ chìa khóa thường được sử dụng.

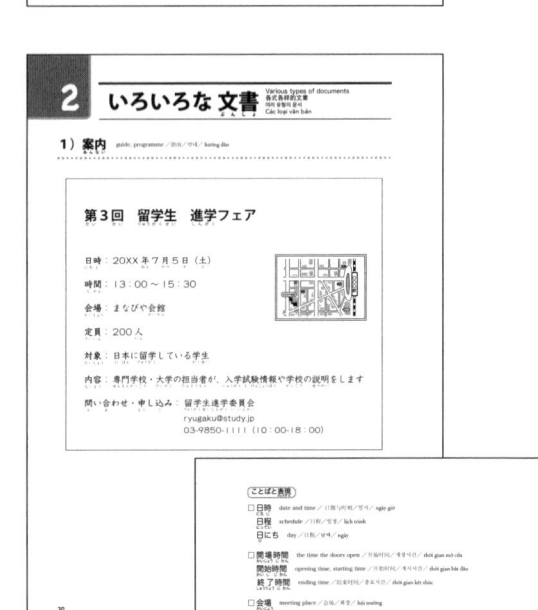

3 テーマ別キーワード

Keywords relating to various topics ／主题分类的关键词／
테마 별 키워드／Từ chìa khoá theo chủ đề

文章の中で使われる可能性のある言葉をテーマ別にリストアップしました。
There are lists of vocabulary which are organized according to different topics.
文章中经常有可能使用的词语根据主题类别进行列表。
문장 중에 사용될 가능성이 있는 말을 테마 별로 정리하였습니다.
Nêu ra các từ có khả năng được sử dụng trong bài đọc theo theo các chủ đề làm bảng danh sách.

PART 2 実戦練習

Practice Exercises ／实战练习／실전 연습／Luyện tập thực hành

問題ごとに目標の時間を示してあります。それを参考に、速く問題を解くようにしましょう。
Each question has a recommended target time. Use this as a guide and practice answering the questions quickly.
每个问题都标示有完成时间。以此为参考，快速答题。
문제마다 목표 시간을 제시하고 있습니다. 그것을 참고로 하여 빠르게 문제를 풀도록 합시다.
Thời gian tiêu chuẩn của từng bài được ghi. Hãy cố gắng làm bài nhanh trong thời gian đó.

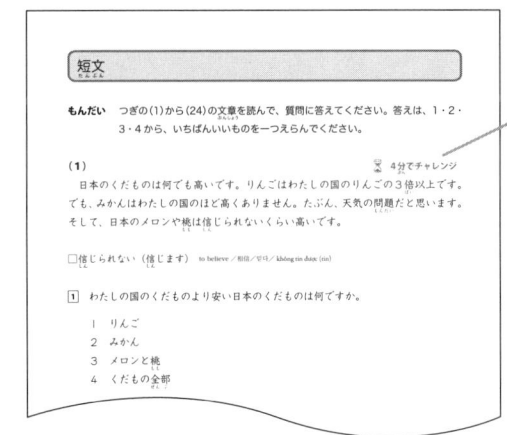

PART 3 模擬試験

Mock Examinations ／模拟考试／모의고사／Kiểm tra mô phỏng thực tế

実際の試験と同じ形式、同じ数の問題に挑戦するパートです。
※ 実際の試験は、言語知識（文法）と読解を 55 分で行います。しかし、この模擬試験は読解だけです。

In this part of the book, you can try out a mock test which is the same style and has the same number of questions as the actual exam. ※ The grammar and reading comprehension sections together last 55 minutes in the actual test. However, this mock test includes only reading comprehension.

一部分内容是挑战与实际考试的形式、数量完全相同的题型。※实际的考试中语言知识（语法）和阅读理解分别进行 55 分钟。但是，本模拟考试只有阅读理解。

실제 시험과 같은 형식, 같은 문제 수에 도전하는 파트입니다. ※실제 시험은 언어 지식 (문법) 과 독해를 55 분에 풉니다. 그러나 이 모의시험은 독해만 있습니다.

Đây là phần thử làm bài cùng hình thức, cùng số lượng với bài thi thực tế. ※ Trong kỳ thi thực tế có phần kiến thức ngôn ngữ (ngữ pháp) và đọc hiểu với thời gian làm bài là 55 phút. Nhưng trong kiểm tra mô phỏng thực tế trên sách này chỉ có phần đọc hiểu.

→ つぎのページへ　To the next page

◆ 別冊 Appendix／別冊／별책／Biệt sách

別冊には、正しい答えと、問題を解くための説明や、キーセンテンスの訳があります。
In the appendix, you can find the correct answers as well as explanations which will help you answer the questions. There are also translations of key sentences.
别冊中附有标准答案、解题说明以及关键句的译文。
별책에는 바른 답과 문제를 풀기 위한 설명과 키가 되는 문장의 번역이 있습니다.
Biệt sách có câu trả lời đúng, phần giải thích để trả lời câu hỏi và bài dịch của câu chìa khoá.

* * * * *

★ 練習の意味で、ときどき、本試験より難しい文章や語句を含む問題があります。
For practice, there are sometimes questions with passages or phrases which are more difficult than those in the actual test.
练习题中有时会出现比实际考试难度更大的文章和词语。
연습의 의미로 가끔 본시험보다 어려운 문장이나 어구를 포함하는 문제가 있습니다.
Để luyện tập, có một số bài gồm có các câu hoặc các từ trình độ cao hơn bài thi thực tế.

★ 漢字かひらがなか、などの表記については、固定せず、ある程度柔軟に扱っています。
There are no strict rules concerning the use of kanji, hiragana and katakana in the book.
关于汉字、平假名等书写上，在某种程度上使用得比较灵活，并未完全固定一种写法。
한자나 히라가나 등의 표기에 대해서는 고정하지 않고 어느 정도 유연하게 다루고 있습니다.
Không thống nhất chữ Hán hoặc Hiragana nghiêm ngặt lắm mà đối xử mềm dẻo trong một phạm vi nào đó.

PART 1

ウォーミングアップ
──読解力アップのポイント

Warming up —hints for improving your reading comprehension skills
准备 —提高读解能力的要点
워밍업 —독해력 향상을 위한 포인트
Khởi động —điểm lưu ý để nâng cao khả năng đọc hiểu

ウォーミングアップの内容

The contents of "Warming up" ／准备内容／워밍업의 내용／Nội dung Khởi động

1 文章を読む基本練習
Basic reading practice ／阅读文章的基本练习／문장을 읽는 기본 연습／Luyện tập đọc hiểu cơ bản

文章を読むときは、2つの読み方があります。
「ボトムアップ」という方法と、「トップダウン」という方法です。

There are two approaches to reading. These are the "bottom-up" and the "top-down" approaches.
阅读文章有两种方式。一是下情上达，二是上情下达。
문장을 읽을 때는 두 가지 방법이 있습니다. '보텀업 : 하부에서 상부로' 와 '톱다운 : 상부에서 하부로' 의 방법이 있습니다.
Khi đọc bài, có hai phương pháp. Đó là phương pháp "Bottom-up: từ dưới lên trên" và phương pháp "Top-down: từ trên xuống dưới".

ボトムアップ
Bottom-up ／下情上达／보텀업／Bottom-up: từ dưới lên trên

◆ 一文を理解する
grasp the meaning of a sentence ／理解一篇短文／한 문장을 이해한다／Hiểu từng câu một

1. 文の構造
   the structure of the sentence ／文章的结构／문장의 구조／Cấu trúc câu

   (1) 修飾関係
       the modifiers ／修饰关系／수식 관계／Quan hệ bổ nghĩa

   (2) 並列関係
       the parallel conjunctions ／并列关系／병렬 관계／Quan hệ song song

2. 文末表現
   the expressions of the sentence end ／句末的表达方式／문 말 표현／Biểu hiện cuối câu

3. 副詞
   the adverbs ／副词／부사／Phó từ

◆ 文のつながりを理解する
grasp the thread of the sentence ／理解文章里各部分的联系／문장의 연결을 이해한다／Hiểu cách kết nối giữa các câu

4. 指示語
   demonstrative pronouns ／指示词／지시어／Từ chỉ thị

5. 省略
   omissions ／省略／생략／Lược bỏ

6. 接続表現
   conjunctions ／接续表现／접속 표현／Biểu hiện kết nối

トップダウン top-down／上情下达／톱다운 (상부에서 하부로)／Top-down: từ trên xuống dưới

◆ 自分が持っている知識を活用して、文章を読む

Read the passage bearing in mind what you already know about the context.／利用自己所学过的知识来阅读文章。／자신이 가지고 있는 지식을 활용하여 문장을 읽읍시다 .／Sử dụng kiến thức mình có để đọc bài.

2 いろいろな文書

Various types of documents／各式各样的文章／여러 유형의 문서／Các loại văn bản

3 テーマ別キーワード

Keywords relating to various topics／主题分类的关键词／테마 별 키워드／Từ chìa khoá theo chủ đề

1 文章を読む基本練習
Basic reading practice ／阅读文章的基本练习／문장을 읽는 기본 연습／Luyện tập đọc hiểu cơ bản

> **ボトムアップ**　the "bottom-up" approach／下情上达／보텀업 (하부에서 상부로)／Bottom-up: từ dưới lên trên

◆ 一文を理解する　grasp the meaning of a sentence／理解一篇短文／한 문장을 이해한다／Hiểu từng câu một

1．文の構造　the structure of the sentence／文章的结构／문장의 구조／Cấu trúc câu

まず、次の文章を読んでください。

> きのう、みなつ市で、300万円の入っているかばんが見つかりました。
> 犬といっしょに散歩をしていた60才の女性が、道でかばんを見つけて、警察に届けました。女性は「かばんがきたなかったし、雨でぬれていたし、犬がかんだので、中は大丈夫か心配しました。開けたら、1万円札がたくさん入っていました。」と話しています。
> 警察は、かばんを落とした人を探しています。

□ 1万円札　¥10,000 bill／一万日币／만 원권 지폐／tờ 10.000 yên

(1) 修飾関係　the modifiers／修饰关系／수식 관계／Quan hệ bổ nghĩa

チャレンジ 1　①～③の文を読んで、質問に答えてください。

① きのう、みなつ市で、〔300万円の入っている〕→ かばんが見つかりました。

　　a. 何が見つかりましたか。　→ ＿＿＿＿＿＿＿＿＿＿＿＿＿＿

　　b. どんなかばんですか。　→ ＿＿＿＿＿＿＿＿＿＿＿＿＿＿

② 〔犬といっしょに散歩をしていた〕→ 60才の女性が、道でかばんを見つけて、警察に届けました。

　　a. だれがかばんを見つけましたか。→ ＿＿＿＿＿＿＿＿＿＿＿＿＿＿

　　b. だれが警察に届けましたか。　→ ＿＿＿＿＿＿＿＿＿＿＿＿＿＿

　　c. 女性は、何をしていましたか。　→ ＿＿＿＿＿＿＿＿＿＿＿＿＿＿

③ 警察は、かばんを落とした 人を探しています。

　　a. だれが探していますか。　　→ _____

　　b. どんな人を探していますか。→ _____

☞答えはこのページの下

ふくしゅう 1

■①～③の文を読んで、質問に答えてください。

① 寒くて長い冬が終わり、春が来ました。

　　a. 何が終わりましたか。　　→ _____

　　b. どんな冬でしたか。　　　→ _____

② わたしは、妹がつくったケーキを、大好きななおきくんにあげました。

　　a. だれがケーキをあげましたか。　→ _____

　　b. だれがケーキをつくりましたか。→ _____

　　c. だれがなおきくんを大好きですか。→ _____

③ わたしは友だちに3か月も借りていた本をきのうやっと返しました。

　　a. だれが返しましたか。　　→ _____

　　b. だれに借りましたか。　　→ _____

　　c. どのくらい借りていましたか。→ _____

チャレンジ 1 の答え　①a →かばん　b →300万円の入っているかばん
　　　　　　　　　　②a →60才の女性　b →60才の女性　c →犬といっしょに散歩をしていました
　　　　　　　　　　③a →警察　b →かばんを落とした人

もう一歩！ One more step! ／再走一步！／한 걸음 더／ Một bước nữa!

話の流れからも、修飾関係を考えましょう。
Think about the use of modifiers in relation to the flow of the passage. ／从文章的内容来思考修饰关系。／이야기의 흐름으로부터 수식 관계를 생각합시다．／Hãy suy nghĩ về quan hệ bổ nghĩa dựa vào cả cốt truyện.

> 家に帰ったとき、あきおはとても悲しそうだった。母親はびっくりして「どうしたの」ときいた。あきおはいすに静かに座って、コーヒーを飲んだ。母親は何も言わないでコーヒーを飲んでいるあきおを心配した。

- 「心配した」のは、だれですか。　→　母親
- 「コーヒーを飲んでいる」のは、だれですか。　→　あきお
- 「何も言わない」のは、だれですか。→　母親？　あきお？
  → 母親は「どうしたの」と言いました。あきおはそれに答えていません。
  だから、「何も言わない」のは、「あきお」ではないでしょうか。

(2) 並列関係 the parallel conjunctions ／并列关系／병렬 관계／ Quan hệ song song

チャレンジ 2 次の文を読んで、質問に答えてください。

> かばんがきたなかったし、雨でぬれていたし、犬がかんだので、中は大丈夫か心配しました。

● 見つかったとき、かばんは→「　　　　」「　　　　」「　　　　」

☞答えは17ページ

～し、～し

複数の似ている内容をつなぎます。理由を説明するときにも使います。
These link two or more similar ideas. They can also be used to explain a reason for something. ／联系两个以上相似的内容。也用于说明原因。／둘 이상의 비슷한 내용을 연결합니다．이유를 설명할 때에도 사용합니다．／ Nối các nội dung tương tự nhau. Cũng được sử dụng khi giải thích lí do.

例：田中さんはおもしろいし、親切だし、わたしは好きです。

～たり、～たり　～とか、～とか

複数の行為の代表的なものをいくつか挙げます。「～」に挙げたこと以外もあります。
These can be used to talk about two or more activities. There may, by implication, be other activities that have not been mentioned.／列举出几种行为中具有代表性的。表示列举的事物除了「～」以外还有其他的。／복수 행위의 대표적인 것을 몇 개정도 예를 듭니다.「～」에 예를 든 것 외에도 있습니다.／Nêu lên một vài thứ tiêu biểu trong các hành vi. Ngoài những hành vi được nêu với「～」ra, vẫn còn những hành vi khác.

例１：日曜日は、本を読ん<u>だり</u>絵をかい<u>たり</u>します。

例２：だれが悪い<u>とか</u>、何がいけない<u>とか</u>、そういう問題ではない。これからどうするかだ。

ふくしゅう ２

■ ①～③の文を読んで、質問に答えてください。

① かみを洗ったり、切ったりするのが床屋のしごとです。

床屋は何をしますか→「　　　　　　　」「　　　　　　　」

② 悲しいときは、泣くとか、声を出すとか、何かしたほうがいいです。

何をしたほうがいいですか→「　　　　　　　」「　　　　　　　」

③ 東京は日本で一番大きい町だ。便利だが、わたしは住みたくない。人も多いし、空気も悪いし。わたしの住んでいる長野は、空気がきれいで、人もやさしい。

東京に住みたくないのは、なぜですか。→「　　　　　　　」「　　　　　　　」

チャレンジ ２の答え　「きたなかった」「雨でぬれていた」「犬がかんだ」

2. 文末表現　the expressions of the sentence end ／句末的表达方式／문 말 표현／ Biểu hiện cuối câu

文末表現には、その人の気持ちや考え方が表れます。
An opinion or feeling may be expressed at the end of a sentence. ／句末一般会出现某人的心情或想法。／문 말 표현에는 그 사람의 기분이나 사고 방식이 나타나 있습니다. ／ Biểu hiện cuối câu thể hiện tâm trạng hoặc cảm nghĩ của người đó.

下の文章を読んでください。

> 久しぶりに、自分の生まれた町に行きました。生まれてから、15才になるまでいた町で、もう20年も行っていませんでしたが、あまり変わっていないと思いました。建物が、むかしと同じだったからでしょう。明日は、小さいときに通っていた小学校に行くつもりです。あのころ教えてくれた先生に会えるかもしれません。

✓Check 1　何がちがいますか。

- 「あまり変わっていないと思いました。」　**その人の考え** that person's opinion, idea ／那个人的想法／그 사람의 생각／ suy nghĩ của người đó
- 「あまり変わっていません。」　**事実** a fact ／事实／사실／ sự thật

〜と思います

自分の考えや意見を表します。
This is used to express one's own opinion. ／表示自己的想法和意见。／자기 생각이나 의견을 나타냅니다. ／ Thể hiện suy nghĩ hoặc ý kiến của mình.

✓Check 2　何がちがいますか。

- 「建物が、むかしと同じだったからでしょう。」　**理由の推測** speculation about a reason ／理由的推测／이유의 추측／ suy đoán lí do
- 「建物がむかしと同じだったからです。」　**理由** reason ／理由／이유／ lí do

〜でしょう

断定を避けて考えを述べる推量の表現です。
This expression allows the speaker to speculate without stating a firm opinion or conclusion. ／避免断定，讲述想法的表示推量的表达方式。／단정을 피해 생각을 말하는 추측 표현입니다. ／ Thể hiện suy đoán để tránh đưa ra kết luận và truyền đạt suy nghĩ.

✓Check 3 何がちがいますか。

「明日は、小さいときに通っていた小学校に行く<u>つもりです</u>。」

明日、自分がしようと思っていること something one is planning to do tomorrow. ／明天自己想做的事情。／내일 자기가 하려고 생각하는 것／điều mình định làm ngày mai

「明日は、小さいときに通っていた小学校に行きます。」

明日すること things to do tomorrow ／明天要做的事情／내일 해야 할 일／những điều làm trong ngày mai

～つもりです

それを話す前から、自分が持っていた意図や意志を表します。
This expresses an intention that had been formed by the speaker before speaking. ／表示说某事之前，自己所拥有的的意图和想法。／그것을 말하기 전부터 자기가 가지고 있었던 의도나 의지를 표현합니다． ／Thể hiện ý đó hoặc ý chí mà mình có từ trước khi nói chuyện đó.

✓Check 4 何がちがいますか。

「あのころ教えてくれた先生に会える<u>かもしれません</u>。」

会える可能性がある There is a chance of meeting. ／有可能会见着面。／만날 가능성이 있다／có khả năng được gặp

「あのころ教えてくれた先生に会えます。」

必ず会える I'm sure that I can meet. ／一定会见面。／반드시 만날 수 있다／chắc chắn được gặp

～かもしれません

その可能性はあるが、確実ではないことを表します。
This is used to show that although something is not definite, there is a possibility of it. ／有这种可能性，表示不确定。／그 가능성은 있지만 확실하지 않은 것을 나타냅니다． ／Thể hiện rằng có khả năng đó nhưng cũng không chắc chắn.

3. 副詞 the adverbs ／副词／부사／Phó từ

副詞は、文の表現を詳しくしたり、正確にしたりします。
An adverb makes a sentence, more detailed or more precise.／副词的作用是使文章的表达方式更加详细和准确。／부사는 문장 표현을 자세하게 해주거나 정확하게 해줍니다．／Phó từ miêu tả chi tiết hoặc làm nội dung chính xác hơn.

ずっと

① ある状態が長く続くことを表します。
This is used when a situation has been continuing for a long time.／表示某种状态一直持续。／어떤 상태가 오래 지속되는 것을 나타냅니다．／Thể hiện một trạng thái nào đó kéo dài lâu.

例：母は<u>ずっと</u>病気でした。 → 病気が長く続きました。

② 他のものと比べて、大きな違いや差があることを表します。
Here, it is used to emphasize a big difference when making a comparison.／表示与其他事物相比，有着很大的区别和差异。／다른 것과 비교하여 크게 다르거나 차이가 있는 것을 나타냅니다．／Thể hiện rằng so với cái khác, có sự khác biệt hoặc chênh lệch lớn.

例：いなかは町より、<u>ずっと</u>住みやすいです。 → いなかと町の住みやすさの差が大きいです。

もっと

ある状態や程度が、それ以上になることを表します。
This expresses the idea that one situation or level is higher or more than another.／表示某种状态或程度更加厉害。／어떤 상태나 정도가 그 이상이 되는 것을 나타냅니다．／Thể hiện sự gia tăng về một trạng thái hoặc mức độ nào đó.

例：右手を<u>もっと</u>高く上げてください。 → 上げた右手を今以上に高くします。

もう

行為や出来事が完了したことを表します。
This shows that some action or event has already finished.／表示行为或事情已经结束。／행위나 일이 완료된 것을 나타내고 있습니다．／Thể hiện một hành động hoặc sự việc đã hoàn thành.

例：晩ごはんは、<u>もう</u>食べました。 → 晩ごはんを食べ終わりました。

まだ

予定されていたことが完了していないことを表します。
This shows that a planned activity has not yet happened.／计划好的事情还没有完成。／예정되어 있던 것이 완료되지 않은 것을 나타냅니다．／Thể hiện rằng điều đã được dự định chưa được hoàn thành.

例：その本は、<u>まだ</u>読んでいません。 → その本を読む予定はありますが、読み始めていません。

だけ

それ以外・それ以上はないという限定を表します。
This shows that there is a limit to something; that there is only this. ／表示限定，意思是除此以外，再没有别的。／그 이외・그 이상은 없다는 한정을 나타냅니다. ／Thể hiện sự hạn định, không có gì khác, không có gì hơn nữa.

例：今日は、パンだけ食べました。
→ パン以外は何も食べませんでした。

しか

量や程度などが不十分であるという話し手の感覚を表します。
This shows that the amount or level of something is felt, by the speaker, to be insufficient. ／表示说话人认为量或者程度不是很到位。／양이나 정도 등이 불충분하다는 화자의 감각을 나타냅니다. ／Thể hiện cảm giác chủ quan của người nói rằng số lượng hoặc mức độ chưa đủ.

例：今日は、パンしか食べませんでした。
→ パン以外は何も食べませんでした。それでは足りません。

もちろん

言わなくてもわかるようなことを表します。
This means that the situation is understood, and does not need to be mentioned. ／表示不用说也知道的事情。／말하지 않아도 알 수 있다는 것을 나타냅니다. ／Thể hiện những điều không cần nói mà người khác có thể hiểu.

例：もちろん、ひらがなが読めます。
→ わたしがひらがなを読めることは知っていますよね。

やっぱり

予想と同じであることを表します。
This means that the situation that the speaker had expected has indeed come about. ／表示与预想的一样。／예상과 같다는 것을 나타냅니다. ／Thể hiện rằng đúng như đã đoán trước.

例：海に行ったら、やっぱり楽しかったです。
→ 海に行ったら楽しいだろうと思っていました。

なかなか

思っていたようにはできない、簡単ではないという気持ちを表します。
This is used when the speaker feels that something is more difficult than expected. ／表示说话人认为跟想象的不一样，并不那么简单的心情。／생각한 대로는 되지 않는다, 간단하지 않다는 기분을 나타냅니다. ／Thể hiện tâm trạng tiếc vì không thể làm được như mong muốn, không dễ dàng.

例：なかなか、朝はやく起きられません。
→ 朝はやく起きたいけど、難しいです。

◆ 文のつながりを理解する

grasp the thread of the sentence／理解文章里各部分的联系／문장의 연결을 이해한다／Hiểu cách kết nối giữa các câu

4．指示語 demonstrative pronouns／指示词／지시어／Từ chỉ thị

　文同士の関係を指すときは、「これ、ここ、この、こんな…」「それ、そこ、その、そんな…」が出てきます。これらは、直前に述べたことを指すことが多いです。

To show the relationship between sentences, demonstrative pronouns such as これ、ここ、この、こんな、それ、そこ、その、and そんな are used. They often refer to something mentioned just before.／指示句子之间的关系时，会用到"これ、ここ、この、こんな…"、"それ、そこ、その、そんな…"等词语。这些词语多指前面刚叙述过的事情。／문장끼리의 관계를 가리킬 때「이것, 이곳, 이, 이런…」「그것, 그곳, 그, 그런…」이 나옵니다. 이 표현은 직전에 말한 것을 가리키는 경우가 많습니다．／ Khi chỉ mối quan hệ giữa các câu có các từ như「cái này, chỗ này, 〜 này, 〜 như thế này...」「cái đó, chỗ đó, 〜 đó, 〜 này, 〜 như thế...」. Các từ này thường chỉ nội dung vừa nói ở ngay trên.

チャレンジ 3　文章を読んで、質問に答えてください。

① 今は、お店に行って物を買う人だけではなく、インターネットで買い物をする人もたくさんいます。そのような人が増えたのは、なぜでしょうか。

● 「そのような人」は、どんな人ですか。→ _____

② 「お母さんの病気はどうですか」とわたしがきいたら、彼女は悲しそうな顔になりました。このとき、わたしは、お母さんはとてもよくない病気だろうと思いました。

● 「このとき」は、いつですか。→ _____

後で述べることを指すこともも、たまにあります。

These demonstratives are occasionally used to refer to something that will be mentioned next.／有时候也指后面所叙述的事情。／나중에 말할 것을 가리키는 경우도 가끔 있습니다．／ Cũng có khi chỉ nội dung nói ở dưới.

③ こんな症状があるときに使ってください：くしゃみ・はなみず

☐ 症状　　　symptom／症状／증상／triệu chứng
☐ くしゃみ　　sneeze／打喷嚏／재채기／hắt xì hơi
☐ はなみず　　runny nose, mucus／鼻涕／콧물／nước mũi

● 「こんな症状」は、どんな症状ですか。→ _____

今まで述べたことをまとめて指すことも、たまにあります。
They are sometimes used when summarizing everything that has been mentioned so far./有时候也总结到目前为止前面所叙述的事情。/지금까지 말한 것을 한꺼번에 가리키는 경우도 가끔 있습니다./Cũng có khi chỉ chung nội dung đã nói.

④ すずきさんは、明るくて、親切な人です。友だちが困っているとき、「どうしましたか」と言ってくれます。みんな、<u>そんな彼</u>が好きです。

● 「そんな彼」は、どんな彼ですか。→ ＿＿＿＿＿＿＿＿＿＿＿＿

☞答えはこのページの下

ふくしゅう 3

■ ①～③の文章を読んで、質問に答えてください。a～cからいちばんいいものをえらんでください。

① 日本の大学には、たいてい学生用の食堂がある。<u>このような食堂</u>は「学食」と呼ばれている。

「このような食堂」は、どのような食堂ですか。
a. 学生用の食堂　　　　b. 日本の食堂　　　　c. よくあるような食堂

② <u>こんな話</u>を聞いたことがあります。「エンジニアの子どもは、女の子が多い。」ほんとうの話でしょうか？

「こんな話」は、どんな話ですか。
a.「エンジニアの子どもは、女の子が多い」
b.「聞いたことがあります」　　　　c.「ほんとうの話」

③ 毎朝、はやく起きて、こんでいる電車に乗って会社に行く。帰りはいつも9時過ぎだ。忙しくて、ごはんをあまり食べない。<u>そんな生活</u>は体に悪いので、しごとをかえるつもりだ。

「そんな生活」は、どんな生活ですか。
a. 毎日会社に行く生活　　　b. しごとをかえた生活　　　c. 忙しすぎる生活

チャレンジ 3 の答え　① インターネットで買い物をする人　② 彼女が悲しそうな顔になったとき
③ くしゃみ・はなみず
④ 明るくて、親切で、友だちの心配をしてくれる人

5. 省略 omissions ／省略／생략／ Lược bỏ

文章では、いつ・だれが・どこで・なにを が省略される場合があります。特に「だれが」は省略されやすいです。

In a passage, the time (when), the person (who), the place (where) or the activity (what) are often not mentioned. In particular, the person (who) is often omitted. ／在文章中，经常会省略到"什么时候、谁、在哪里、做什么"。特别是"谁"比较容易省略。／문장에서는 언제・누가・어디에서・무엇을이 생략되는 경우가 있습니다. 특히 「누가」는 생략되기 쉽습니다. ／ Có trường hợp các từ chỉ thời gian, chủ thể, địa điểm, đối tượng bị lược bỏ trong bài viết. Nhất là từ chỉ chủ thể hay bị lược bỏ.

チャレンジ 4　①〜③の文章を読んで、質問に答えてください。

① 会社に行くとき、わたしはむかしの友だちと会いました。駅までの道を歩いていたら、とつぜん「元気？」と言われたのです。

☐ とつぜん　suddenly ／突然／갑자기／ đột ngột

● ＿＿＿＿にことばを入れてください。

駅までの道を歩いていたら、＿＿＿＿＿＿＿は、とつぜん＿＿＿＿＿＿＿に「元気？」と言われたのです。

② 女性は「かばんがきたなかったし、雨でぬれていたし、犬がかんだので、中は大丈夫か心配しました。開けたら、1万円札がたくさん入っていました。」と話しています。

☐ 1万円札　¥10,000 bill ／一万日币／만 엔권 지폐／ tờ 10.000 yên

● ＿＿＿＿にことばを入れてください。

＿＿＿＿＿＿＿が＿＿＿＿＿＿＿を開けたら、1万円札がたくさん入っていました。

③ わたしは今日、スーパーでたくさん買い物をしました。シャツは買いましたがくつしたを買い忘れたので、明日また買いに行きます。

● ＿＿＿＿にことばを入れてください。

明日、＿＿＿＿＿＿＿は＿＿＿＿＿＿＿へ＿＿＿＿＿＿＿を買いに行きます。

☞答えは 25 ページ

24

ふくしゅう 4

■ ①〜③の文章を読んで、質問に答えてください。a〜c からいちばんいいものをえらんでください。

① 一人で姉の部屋にいたとき、窓から鳥が入ってきました。きれいな声でないて、とてもかわいいと思いました。

きれいな声でないたのは、だれですか。　　　a. 姉　　　b. わたし　　　c. 鳥
だれが「かわいいと思いました」か。　　　a. 姉　　　b. わたし　　　c. 鳥

② 日曜日、天気がよかったので、わたしは友だちと公園に行きました。サッカーボールで遊んでいたら、子どもたちがきて、「試合、しようよ。」と言いました。
「そのボールを貸してくれませんか。」ではなく、「試合、しようよ。」と言われて少しびっくりしました。ボールを持っているのは、子どもたちではなく、わたしです。でも、おもしろそうなので、「いいよ。」と答えました。

「少しびっくりした」のは、だれですか。
a. 子どもたち　　　b. わたし　　　c. 友だち

何が「おもしろそう」なのですか。
a. 友だちと公園に行くこと
b. 子どもたちと試合をすること
c. 子どもたちにボールを貸すこと

③ わたしは、家族といっしょに、家の前にたくさん花を植えました。町の人は、きれいな花を見れば、楽しい気持ちになると思います。来年も植えます。

だれが「思います」か。
a. わたし　　　b. 家族　　　c. 町の人

だれが「楽しい気持ち」になりますか。
a. わたし　　　b. 家族　　　c. 町の人

どこに「植えます」か。
a. 家の前　　　b. 町の中　　　c. 道のそば

チャレンジ 4 の答え　①わたし　むかしの友だち　②女性　かばん　③わたし　スーパー　くつした

6. 接続表現 conjunctions ／接续表现／접속 표현／Biểu hiện kết nối

そして　　それから　　それに

前に述べたことに付け加える言い方。
These are used to add to what has already been said.／在前面叙述的事情上进行追加的说法。／앞에 말한 것에 덧붙이는 화법．／Cách nói thêm vào những điều đã nói trước.

例1：昼は働きました。そして、夜は勉強しました。

例2：午前は、歯医者に行った。それから、午後、目の病院に行った。

例3：今日はよく晴れていますね。それに、風もないので、公園で昼ごはんを食べませんか。

だから／ですから　　それで　　そのため

先に理由を述べ、後にその結果を述べる言い方。
These are used when the result of something is stated after the reason for it.／先叙述理由，后叙述结果的说法。／먼저 이유를 말하고 뒤에 그 결과를 말하는 화법．／Cách nói lí do trước, kết quả sau.

例1：財布を家に忘れました。だから、バスに乗らないで歩きます。

例2：きのうけんかをした。それで、会いたくない。

例3：今日は、台風で会社に来られない人がたくさんいました。そのため、今日の会議は明日に変わりました。

でも　　けれど（も）／（〜）けど　　〜が　　しかし

前に述べたことに対して反対の事柄を続けて述べる言い方。
These are used to show that the second thing mentioned has an opposite meaning to the first.／相对前面所叙述的事情，继续叙述与其相反的情况。／앞에 말한 것에 대해 반대되는 내용을 이어서 말하는 화법．／Cách nói điều ngược lại với những điều đã nói trước.

例1：ドリアンはくさいです。でも、おいしいです。

例2：あの人は、頭がいいが、予定を忘れやすい。

例3：ここに入ってはいけない。しかし、ドアが開いている。

□ くさい　smelly, smelling bad／臭的／고약한 냄새가 나다／hôi thối

それなら

前の文の内容に対する話し手の意見や判断などを述べる言い方。
This is used by the speaker to express an opinion of or judgment on the contents of the previous sentence.／叙述说话人对于前文内容的意见与判断。／앞 문장의 내용에 대한 화자의 의견이나 판단 등을 말하는 화법．／Cách nói ý kiến hoặc phán đoán của người nói đối với nội dung của câu trước.

例：「荷物が重くて大変です。」「それなら、タクシーを使いましょう。」

ふくしゅう 5

■ ①～④の文を読んで、質問に答えてください。a～cからいちばんいいものをえらんでください。

①
> 誕生日に、母からぼうしを、父から時計をもらいました。
> そして、＿＿＿＿＿＿＿＿。

a. 姉からハンカチをもらいました。
b. 姉にハンカチをあげました。
c. 姉から何ももらえませんでした。

②
> 誕生日に、母からぼうしを、父から時計をもらいました。
> でも、＿＿＿＿＿＿＿＿。

a. 姉からハンカチをもらいました。
b. 姉にハンカチをあげました。
c. 姉から何ももらえませんでした。

③
> 明日は、はやい時間に、新幹線に乗らなければいけません。
> そのため、朝＿＿＿＿＿＿＿＿。

a. かばんを２つ持って行きます。
b. はやく家を出ます。
c. 遅く起きます。

④
> 学生１「次の授業で必要なのに、辞書を忘れてしまいました。」
> 学生２「それなら、＿＿＿＿＿＿＿＿。わたしは、今日はもう授業がありませんから。」

a. わたしも忘れました。
b. わたしの辞書を使ってください。
c. 困っています。

トップダウン　top-down ／上情下达／톱다운 (상부에서 하부로) ／Top-down: từ trên xuống dưới

◆ 自分が持っている知識を活用して、文章を読む

Read the passage bearing in mind what you already know about the context.／用自己学过的知识，阅读下列文章。／자기가 가지고 있는 지식을 활용하여 문장을 읽읍시다 . ／ Sử dụng kiến thức mình có để đọc bài.

何が書いてあるか、予測できたら、文章が読みやすくなります。

If you can make a prediction about the meaning of the passage, it will become easier to read.／如果能预测写的什么，文章就更容易理解。／무엇이 쓰여 있는지 예측할 수 있으면 문장을 읽기 쉬워집니다 . ／ Nếu có thể đoán được nội dung bài thì bài viết sẽ trở nên dễ đọc hơn.

「情報検索」の問題は、タイトルと、誰が書いたかに注意しましょう。

Take a good look at the title and the name of the writer when checking information.／"信息检索"的问题是要注意标题和作者。／「정보검색」의 문제는 타이틀과 누가 썼는지 주의합시다 . ／ Hãy chú ý đến chủ đề và người viết khi làm bài "tìm kiếm thông tin".

(例)

> **お願い**
>
> ・公園の中を、自転車で走らないでください。
>
> ・あぶないので、池に入らないでください。
>
> ・花をとらないでください。
>
> ・みんなで楽しく遊びましょう。
>
> 　　　　　　　　　　　　　　　〇〇公園

「〇〇公園」が「お願い」と書きました。たぶん、公園で守ってほしいことや、してはいけないことが書いてあります。

Here, we can see that the park keeper (〇〇公園) has a request (お願い). He probably wrote it to tell people about what rules they must follow and what they must not do in the park.／上面写着「〇〇公園」所拜托的「お願い」。大概写着希望大家在公园应该遵守和公园禁止的事项。／「〇〇공원」이「부탁」이라고 쓰여 있습니다 . 아마 공원에서 지켜주었으면 하는 것이나 해서는 안 되는 것이 쓰여 있습니다 . ／ "Công viên 〇〇 " viết lời "yêu cầu". Vì vậy có thể đoán được rằng nội dung sẽ là những điều nên làm hoặc không nên làm ở công viên.

文章の場合は、キーワードを見つけたり、その話題について考えたりしながら読みましょう。
While you are reading, look out for the key words and think about the topic of the passage.／阅读文章的技巧之一是找到文章的关键词、思考文章所涉及的话题。／문장의 경우는 키워드를 발견하거나 그 화제에 대해 생각하거나 하면서 읽읍시다．／Hãy tìm từ chìa khoá và suy nghĩ về chủ đề đó khi đọc bài viết.

チャレンジ 5

まず、下の文章を5秒間だけ、見てください(読みません)。そのあと、質問に答えてください。

　今は、お店に行って物を買う人だけではなく、インターネットで買い物をする人もたくさんいます。どうして、たくさんの人がインターネットを利用するようになったのでしょうか。

　まず、インターネットでは、ほしい物を検索することができます。お店に行く場合は、そこにほしい物があるか、わかりません。黄色いシャツがほしいと思って買いに行っても、お店には、青や白のシャツはあっても、黄色はないかもしれません。インターネットでは、「黄色　シャツ」と入力して、黄色いシャツを探すことができます。

　それから、買った物を家まで届けてくれます。お店に買い物に行くと、自分で荷物を持たなければならないので、あまりたくさん買えません。

　もちろん、インターネットでは物に触ることができませんが、それよりも、便利な点のほうが多いと思います。

□ インターネット　　The Internet／网络／인터넷／ mạng, internet
□ 検索する（検索します）　to search／检索／검색하다／ truy cập
□ 入力して（入力します）　to input／输入／입력하다／ nhập vào
□ 触る（触ります）　to touch／接触／손을 대다／ sờ

① どんなことばが見えましたか。→ ＿＿＿＿＿＿＿＿＿＿＿＿＿＿

② 何について書いてあると思いますか。→ ＿＿＿＿＿＿＿＿＿＿＿＿＿＿

次に、この文章を、20秒間、見てください。

③ この文章を書いた人は、何が言いたいと思いますか。

→ ＿＿＿＿＿＿＿＿＿＿＿＿＿＿＿＿＿＿

☞答えの例はこのページの下

チャレンジ 5 の答え（例）：　① インターネット、買い物、黄色、シャツ
　　　　　　　　　　　　② インターネットで買い物をすること
　　　　　　　　　　　　③ ・インターネットで買い物をする人が増えたのはどうしてか。
　　　　　　　　　　　　　・お店より、インターネットで買い物をするほうが便利だ。

2 いろいろな文書

Various types of documents
各式各样的文章
여러 유형의 문서
Các loại văn bản

1) 案内　guide, programme ／指南／안내／hướng dẫn

第3回　留学生　進学フェア

日時：20XX年7月5日（土）

時間：13:00～15:30

会場：まなびや会館

定員：200人

対象：日本に留学している学生

内容：専門学校・大学の担当者が、入学試験情報や学校の説明をします

問い合わせ・申し込み：留学生進学委員会
　　　　　　　　　　　ryugaku@study.jp
　　　　　　　　　　　03-9850-1111（10:00-18:00）

ことばと表現

- 日時(にちじ)　date and time ／日期与时刻／일시／ ngày giờ
  日程(にってい)　schedule ／日程／일정／ lịch trình
  日(ひ)にち　day ／日期／날짜／ ngày

- 開場時間(かいじょうじかん)　the time the doors open ／开场时间／개장시간／ thời gian mở cửa
  開始時間(かいしじかん)　opening time, starting time ／开始时间／개시시간／ thời gian bắt đầu
  終了時間(しゅうりょうじかん)　ending time ／结束时间／종료시간／ thời gian kết thúc

- 会場(かいじょう)　meeting place ／会场／회장／ hội trường
  場所(ばしょ)　place, location ／地点／장소／ địa điểm
  住所(じゅうしょ)　address ／地址／주소／ địa chỉ

- 料金(りょうきん)　fee ／使用费／요금／ chi phí
  費用(ひよう)　cost ／・费用／비용／ chi phí
  参加費(さんかひ)　registration fee ／参加费用／참가비／ phí tham gia
  観覧料(かんらんりょう)　entrance fee ／参观费／관람료／ phí tham quan

- 定員(ていいん)　fixed number of people ／定员／정원／ sức chứa
  人数(にんずう)　number of people ／人数・／인원수／ số người
  客席(きゃくせき)　seat(s) for the audience ／(剧场的)客人坐位／객석／ chỗ ngồi

- 対象(たいしょう)　target ／对象／대상／ đối tượng

- 内容(ないよう)　content(s) ／内容／내용／ nội dung

- 問(と)い合(あ)わせ　enquiry ／咨询／문의／ liên lạc
  申(もう)し込(こ)み　application ／申请／신청／ đăng ký tham gia
  予約(よやく)　reservation ／预约／예약／ đặt trước

- 連絡先(れんらくさき)　contact details ／联系地址／연락처／ thông tin liên lạc
  電話番号(でんわばんごう)　telephone number ／电话号码／전화번호／ số điện thoại
  FAX　FAX ／传真／팩스／ FAX
  Eメール　E-mail ／电子邮件／이메일／ E-mail
  URL　URL ／链接／ URL ／ địa chỉ trang web

2）手紙

letter／信／편지／bức thư

山田先生

お久しぶりです。お元気でいらっしゃいますか。
しごとで、国に戻ってから、一年がたちました。
日本を離れるときはとても寂しかったですが、来月から、また、東京支社に勤めることになりました。
引っ越して落ち着いたら、先生のところに伺いたいと思っております。
先生が、最後の授業でお話しになったアジア経済の問題についてよく考えます。また、お話をお聞かせください。
東京に着きましたら、連絡いたします。

二〇××年 二月二五日

ホウキン

> ことばと表現

手紙では、敬語が使われることが多いです。
In letters, honorific language is often used.
写信使用敬语的时候比较多。
편지에서는 경어가 사용되는 경우가 많습니다.
Trong bức thư thường sử dụng kính ngữ.

☐ お久しぶりです　(I) haven't contacted (you) for a long time.／好久不见／오래간만입니다／lâu lắm rồi không gặp

（先生の行為について述べるとき）　when you talk about the teacher's actions／叙述关于老师的行为／선생님의 행동에 대해 말할 때／khi nói về hành vi của giáo viên

☐ いらっしゃいます　to be, to come, to go／在／계십니다／ở

☐ お（ご）～になります　to do ~／做／~하시다／làm

☐ お（ご）～ください　please do ~／请／~해 주세요／Hãy ~ .

（自分の行為について述べるとき）　when you talk about your own actions／叙述关于自己的行为／자기 행동에 대해 말할 때／khi nói về hành vi của mình

☐ 伺います　to visit／拜访（谁）／（누군가를) 방문하다／thăm

☐ おります　to be／在／있다／ở

3) 取扱説明書 instructions for use ／说明书／취급 설명서／hướng dẫn sử dụng

時計の使い方

電池の入れ方
時計の裏に、電池を入れる場所があります。
単3乾電池を右の図のように入れてください。

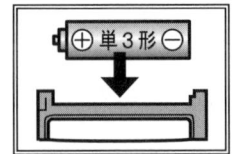

⚠ 注意

- 火気の近くで使わないでください。火災や故障の原因になります。
- 用途以外のことに使わないでください。
- 投げたり、壊れるようなことをしたりしないでください。
- 直接日光が当たる場所に置かないでください。

ことばと表現

- □ 〜方(かた)　how to 〜／〜方法／〜방법／cách 〜

- □ 〜てください　Please do 〜／请〜／〜해 주세요／hãy 〜

- □ 〜ないでください　Please don't do 〜／请不要〜／〜하지 마십시오／đừng 〜

- □ 〜になります　to become ／成为／〜게 되다／trở nên, trở thành 〜

- □ 〜のように、〜　like, as ／像〜一样／〜처럼／như

- □ 火気(かき)　inflammable ／烟火／불기／lửa

- □ 火災(かさい)　a fire ／火灾／화기／cháy

- □ 故障(こしょう)　broken, out of order ／故障／고장／hỏng hóc

- □ 用途(ようと)　use ／用途／용도／cách sử dụng

3 テーマ別キーワード

Keywords relating to various topics
主题分类的关键词
테마 별 키워드
Từ chìa khoá theo chủ đề

●学校(がっこう)	School ／学校／학교／ Trường học		テスト	test ／测试／시험／ bài kiểm tra
教室(きょうしつ)	classroom ／教室／교실／ phòng học		練習(れんしゅう)	practice, exercise ／练习／연습／ luyện tập
体育館(たいいくかん)	gym ／体育馆／체육관／ phòng tập thể thao		質問(しつもん)	question ／问题／질문／ câu hỏi
図書館(としょかん)	library ／图书馆／도서관／ thư viện		答え(こた)	answer ／答案／답／ câu trả lời
ろうか	corridor ／走廊／복도／ hành lang		教科書(きょうかしょ)	textbook ／教科书／교과서／ sách giáo khoa
放課後(ほうかご)	after school ／放学后／방과 후／ sau khi tan học		テキスト	textbook, text ／教科书，教材／교재／ sách giáo khoa
遅刻(ちこく)	late ／迟到／지각／ đến muộn			
クラブ	club ／班级／클럽／ câu lạc bộ		●日本語(にほんご)	Japanese language ／日语／일본어／ Tiếng Nhật
夏休み(なつやす)	summer holiday ／暑假／여름방학／ kỳ nghỉ hè		文法(ぶんぽう)	grammar ／语法／문법／ ngữ pháp
先生(せんせい)	teacher ／老师／선생님／ giáo viên		発音(はつおん)	pronunciation ／发音／발음／ phát âm
クラスメート	classmate ／同班同学／반 친구／ bạn cùng lớp		漢字(かんじ)	Chinese characters, kanji ／汉字／한자／ chữ Hán
先輩(せんぱい)	an older student, a student in a higher grade ／前輩／선배／ đàn anh, đàn chị		苦手(にがて)(な)	weak, poor, not good (at) ／不擅长的／잘못함／ kém
後輩(こうはい)	a younger student, a student in a lower grade ／后辈／후배／ đàn em		得意(とくい)(な)	good (at) ／擅长的／잘함／ giỏi
校外学習(こうがいがくしゅう)	a learning experience outside school, a field trip ／课外实践学习／체험학습／ học tập ngoài khoá		スピーチ	speech ／演讲／스피치／ hùng biện
			会話(かいわ)	conversation, talking ／会话／회화／ hội thoại
●勉強(べんきょう)	Study ／学习／공부／ Học tập		初級(しょきゅう)	elementary level ／初级／초급／ sơ cấp
宿題(しゅくだい)	homework ／习题／숙제／ bài tập ở nhà		中級(ちゅうきゅう)	intermediate level ／中级／중급／ trung cấp
復習(ふくしゅう)	review ／复习／복습／ ôn tập		上級(じょうきゅう)	advanced level ／高级／상급／ cao cấp

●会社 かいしゃ	Company ／公司／회사／ Công ty		揚げます あ	to deep-fry ／油炸／튀기다／ chiên
会議 かいぎ	meeting ／会议／회의／ cuộc họp		生 なま	raw, fresh, uncooked ／生的／생, 날것／ sống tươi
出張 しゅっちょう	business trip ／出差／출장／ đi công tác		台所 だいどころ	kitchen ／厨房／부엌／ phòng bếp
会議室 かいぎしつ	meeting room ／会议室／회의실／ phòng họp		キッチン	kitchen ／厨房／키친／ phòng bếp
部長 ぶちょう	head of a department ／部长／부장／ trưởng phòng		野菜 やさい	vegetable ／蔬菜／야채／ rau củ
課長 かちょう	head of a section ／科长／과장／ trưởng khoa		ぶた肉 にく	pork ／猪肉／돼지고기／ thịt lợn
社長 しゃちょう	president, managing director ／社长／사장／ giám đốc		とり肉 にく	chicken ／鸡肉／닭고기／ thịt gà
同僚 どうりょう	colleague, coworker ／同事／동료／ đồng nghiệp		ぎゅう肉 にく	beef ／牛肉／소고기／ thịt bò
プロジェクト	project ／项目／프로젝트／ dự án		魚 さかな	fish ／鱼／생선／ cá
プレゼン （プレゼンテーション）	presentation ／产品展示／프리젠테이션／ trình bày		にんじん	carrot ／胡萝卜／당근／ cà rốt
			たまねぎ	onion ／洋葱／양파／ hành tay
●料理 りょうり	Cooking, Food ／料理／요리／ Món ăn		ねぎ	leek ／大葱／파／ hành
日本料理 にほんりょうり	Japanese food, Japanese cooking ／日本料理／일본 요리／ món ăn Nhật Bản		じゃがいも	potato ／土豆／감자／ khoai tay
作ります つく	to make, to cook ／制作／만들다／ nấu ăn		油 あぶら	oil ／油／기름／ dầu
レストラン	restaurant ／餐厅／레스토랑／ nhà hàng		なべ	pot, pan ／锅／냄비／ nồi
食前 しょくぜん	before a meal ／餐前／식전／ trước khi ăn		包丁 ほうちょう	kichen knife ／菜刀／부엌칼／ dao
食後 しょくご	after a meal ／餐后／식후／ sau khi ăn		フライパン	frying pan ／平底锅／프라이팬／ chảo
焼きます や	to grill, to bake, to roast ／烧、烤／굽다／ nướng		ボウル	bowl ／盛菜盆／볼, 그릇／ tô
煮ます に	to boil, to stew ／煮／끓이다／ nấu			

●スポーツ	Sport ／运动／스포츠／ Thể thao	●ごみ	Garbage ／垃圾／쓰레기／ Rác
チーム	team ／队伍／팀／ đội, nhóm	燃えるごみ	burnable garbage ／可燃垃圾／가연 쓰레기／ rác cháy được
メンバー	member ／成员／멤버／ thành viên	燃えないごみ	non-burnable garbage ／不可燃垃圾／불연 쓰레기／ rác không cháy được
勝ちます	to win ／胜利／이기다／ thắng	リサイクル	recycling ／再循环利用／리사이클（재생）／ tái sử dụng
負けます	to lose ／失败，输／지다／ thua	プラスチック	plastic ／塑料／플라스틱／ nhựa
試合	game, match ／比赛／시합／ trận đấu	資源ごみ	recyclable garbage ／资源垃圾／재활용 쓰레기／ rác tài nguyên
ゲーム	game ／游戏／게임／ trận đấu, trò chơi	ごみ置き場	place to put your garbage, garbage collection point ／垃圾站／쓰레기장／ chỗ để rác
ボール	ball ／球／공／ bóng	ごみを出します	to take out the garbage ／扔垃圾／쓰레기를 버리다／ vứt rác
コーチ	coach ／教练／코치／ huấn luyện viên	ごみ袋	garbage bag ／垃圾袋／쓰레기봉투／ túi rác
コート	court ／场地／코트／ sân chơi thể thao	びん	bottle, jar ／瓶子／병／ chai
強い	strong ／强的／강하다／ mạnh	かん	can, tin ／易拉罐／캔／ lon
弱い	weak ／弱的／약하다／ yếu	ペットボトル	plastic bottle ／塑料瓶／페트병／ chai nhựa
〜対〜	against, versus, to ／〜対〜／〜대〜／ đấu với, tỉ số	キャップ	cap, lid ／盖子／캡／ nắp
バレーボール	volleyball ／排球／배구／ bóng chuyền	ラベル	label ／标签，商标／라벨／ nhãn dán
バスケットボール	basketball ／篮球／농구／ bóng rổ		
水泳	swimming ／游泳／수영／ bơi lội	●病気・けが	Illness, Injury ／生病，受伤／병，부상／ Bệnh tật, Vết thương
プール	pool ／游泳池／풀／ bể bơi	病院	hospital ／医院／병원／ bệnh viện
		かぜ	cold ／感冒／감기／ bệnh cảm
		熱	fever ／发烧／열／ cơn sốt
		吐き気	nausea ／呕吐／구토증／ buồn nôn

体調 たいちょう	physical condition ／身体状況／컨디션／ sức khoẻ		美術館 びじゅつかん	art gallery ／美术馆／미술관／ bảo tàng mĩ thuật
せき	cough ／咳嗽／기침／ ho		動物園 どうぶつえん	zoo ／动物园／동물원／ vườn thú
くしゃみ	sneeze ／打喷嚏／재채기／ hắt xì hơi		水族館 すいぞくかん	aquarium ／水族馆／수족관／ thuỷ cung
はなみず	runny nose, mucus ／流鼻涕／콧물／ nước mũi		プラネタリウム	planetarium ／天文馆／플라네타륨／ cung thiên văn
食欲 しょくよく	appetite ／食欲／식욕／ cảm giác muốn ăn		スタジアム	stadium ／露天体育场／경기장／ sân vận động
アレルギー	allergy ／过敏／알레르기／ dị ứng			
薬 くすり	medicine ／药／약／ thuốc		●旅行 りょこう	Trips ／旅行／여행／ Du lịch
げり	diarrhoea ／泻肚／설사／ ia chảy		飛行機 ひこうき	aeroplane, airplane ／飞机／비행기／ máy bay
べんぴ	constipation ／便秘／변비／ táo bón		新幹線 しんかんせん	bullet train, Shinkansen ／新干线／신칸센／ tàu cao tốc shinkansen
けが	injury ／受伤／부상／ thương tích		ホテル	hotel ／酒店／호텔／ khách sạn
かぜをひきます	to catch a cold ／感冒／감기에 걸리다／ bị cảm		旅館 りょかん	Japanese style hotel, inn ／旅馆／여관／ nhà trọ kiểu Nhật
			日帰り ひがえり	day trip ／当天来回／당일치기／ du lịch một ngày
●公園・施設 こうえん しせつ	Park, Facilities ／公园, 设施／공원, 시설／ Công viên, Thiết bị		往復 おうふく	return, round trip ／往返／왕복／ 2 chiều
注意 ちゅうい	care, attention, warning ／注意／주의／ chú ý		片道 かたみち	single, one-way ／单程／편도／ 1 chiều
規則 きそく	regulation, rule ／规则／규칙／ quy tắc		観光 かんこう	sightseeing ／观光／관광／ tham quan
グラウンド	playground, sports ground ／操场／그라운드／ sân vận động		温泉 おんせん	hot spring, spa ／温泉／온천／ suối nước nóng
遊具 ゆうぐ	play equipment ／游乐设施／놀이 기구／ đồ chơi		写真 しゃしん	photograph ／照相／사진／ ảnh
芝生 しばふ	lawn, grass ／草坪／잔디／ bãi cỏ		空港 くうこう	airport ／机场／공항／ sân bay
映画館 えいがかん	cinema, movie theater ／电影院／영화관／ rạp chiếu phim			
博物館 はくぶつかん	museum ／博物馆／박물관／ bảo tàng			

●生活（せいかつ）	Life, Lifestyle ／生活／생활／ Cuộc sống	●IT	IT ／IT ／IT ／ Công nghệ thông tin
引っ越し（ひっこし）	moving house ／搬家／이사／ chuyển nhà	パソコン	computer ／电脑／컴퓨터／ máy vi tính
アルバイト	part-time job ／打工／아르바이트／ việc làm thêm	コンピューター	computer ／电脑／컴퓨터／ máy vi tính
休み（やす）	holiday, day(s) off ／休息／쉼／ nghỉ	インターネット	Internet ／网络／인터넷／ mạng, internet
テレビ	television ／电视／텔레비전／ ti vi	チャット	chat, chatting ／聊天／채팅／ trò chuyện, chat
お風呂（ふろ）	bath ／泡澡／목욕／ tắm	SMS	short messaging service ／短信／ SMS ／ mạng xã hội
アパート	apartment ／公寓／아파트／ chung cư	Eメール	e-mail ／电子邮件／ E 메일／ thư điện tử
		電子書籍（でんししょせき）	electronic book ／电子书／전자책／ sách điện tử
●趣味（しゅみ）	Hobbies and Interests ／爱好／취미／ Sở thích	ブログ	blog ／博客／블로그／ nhật ký mạng, blog
旅行（りょこう）	trip ／旅行／여행／ du lịch	検索（けんさく）	search, reference ／检索／검색／ tìm kiếm
ハイキング	hiking ／郊游／하이킹／ leo núi	入力（にゅうりょく）	input ／输入／입력／ đánh máy
映画（えいが）	movie ／电影／영화관／ phim	ネット通販（つうはん）	on-line shopping, Internet shopping ／网购／인터넷 통신 판매／ bán hàng trên mạng
読書（どくしょ）	reading books ／读书／독서／ đọc sách	スマホ／スマートフォン	smart phone ／智能手机／스마트폰／ điện thoại thông minh
バイク	motorbike, motorcycle ／摩托车／오토바이／ xe máy	wifi	Wi-Fi ／wifi／와이파이／ mạng không dây, wifi
ドライブ	drive ／驾车旅行／드라이브／ lái xe đi chơi	電波（でんぱ）	radio wave, reception, signal for a mobile phone ／电波／전파／ sóng điện
音楽（おんがく）	music ／音乐／음악／ âm nhạc		
登山（とざん）	climbing mountains ／登山／등산／ leo núi	●天気（てんき）	The Weather ／天气／날씨／ Thời tiết
バーベキュー	barbecue ／烧烤／바비큐／ ba-bê-kiu	雨（あめ）	rain ／雨／비／ mưa
		晴れ（は）	fine, sunny, clear ／晴／맑음／ nắng đẹp

くもり	cloudy, overcast ／阴天／흐림／ nhiều mây	●性格・人物 _{せいかく じんぶつ}	Personality, Character ／人物 , 性格 ／성격 , 인물／ Tính cách, Con người
雪 _{ゆき}	snow ／雪／눈／ tuyết	わがまま(な)	selfish, spoilt, self-centred ／任性的 ／멋대로임／ ích kỷ
雲 _{くも}	cloud ／云／구름／ mây	やさしい	kind, gentle ／温柔的／친절하다 , 상냥하다／ hiền lành
風 _{かぜ}	wind ／风／바람／ gió	しんせつ(な)	kind ／亲切的／친절／ tốt bụng
気温 _{きおん}	temperature ／气温／기온／ nhiệt độ	おもしろい	interesting, funny ／有趣的／재미있다／ vui tính
むし暑い _{あつ}	humid, muggy ／闷热／무덥다／ oi bức	まじめ(な)	serious, honest ／认真的／성실／ chăm chỉ
梅雨 _{つゆ}	rainy season ／梅雨／장마／ mùa mưa	きびしい	strict ／寂寞的／엄격하다／ nghiêm khắc
大雨 _{おおあめ}	heavy rain ／大雨／큰 비／ mưa to	あまい	lenient, liberal ／不严格的／무르다／ không nghiêm khắc
		おとなしい	quiet, well-behaved ／老实的／어른스럽다／ hiền lành
		積極的(な) _{せっきょくてき}	positive, outgoing ／积极的／적극적인／ tích cực
●感情 _{かんじょう}	Feelings, Emotions ／感情／감정／ Cảm xúc	消極的(な) _{しょうきょくてき}	negative, passive, timid ／消极的／소극적인／ tiêu cực
うれしい	happy ／高兴的／기쁘다／ mừng	恥ずかしがり屋 _{は や}	a shy person ／害羞的人／수줍어하는 사람／ hay xấu hổ
かなしい	sad ／悲伤的／슬프다／ buồn	寂しがり屋 _{さび や}	(a person who) gets lonely easily and needs to be with other people ／害怕孤独寂寞的人／외로움을 타는 사람／ hay cảm thấy cô đơn
さびしい	lonely ／寂寞的／외롭다／ cô đơn	頭がいい _{あたま}	smart, intelligent ／聪明的／머리가 좋다／ thông minh
こわい	scared ／可怕的／무섭다／ sợ	かっこいい	nice, cool ／帅气的／멋있다／ dáng đẹp
たのしい	happy, merry, having fun ／高兴的 , 玩乐／즐겁다／ vui		
おどろきます	to be surprised ／惊奇／놀랍니다／ ngạc nhiên		
びっくりします	to be astonished, amazed, shocked ／吃惊／놀랍니다／ ngạc nhiên		
涙が出ます _{なみだ で}	to cry, to shed tears ／流眼泪／눈물이 납니다／ nước mắt chảy ra		
つらい	hard, difficult, painful ／痛苦 다／ 괴롭다／ đau khổ		

PART 2

実戦練習
じっせんれんしゅう

Practice Exercises
实战练习
실전 연습
Bài luyện tập thực hành

短文

もんだい つぎの(1)から(24)の文章を読んで、質問に答えてください。答えは、1・2・3・4から、いちばんいいものを一つえらんでください。

(1)

⏳ 4分でチャレンジ

日本のくだものは何でも高いです。りんごはわたしの国のりんごの3倍以上です。でも、みかんはわたしの国のほど高くありません。たぶん、天気の問題だと思います。そして、日本のメロンや桃は信じられないくらい高いです。

☐ 信じられない（信じます）　to believe／相信／믿다／không tin được (tin)

1 わたしの国のくだものより安い日本のくだものは何ですか。

1　りんご
2　みかん
3　メロンと桃
4　くだもの全部

（2）　　　　　　　　　　　　　　　　　　　　　　　4分でチャレンジ

カクさんのつくえの上に、本田さんからのメモが置いてあります。

　カクさん、明日の11時からの会議の準備をおねがいします。
A会議室を使います。会議に12人出席します。
10時ごろA会議室のかぎを借りて入って、まどを開けて、空気を入れかえてください。
　まどは会議が始まるまで開けたままにしてください。
お茶の用意もしておいてください。
一人に一つ、パソコンを机の上に置いておいてください。
よろしくおねがいします。

　　　　　　　　　　　　　　　　　　　　　　　　　　　本田

☐ 入れかえて（入れかえます）　to exchange, to substitute, to let in ／替換／갈아 놓다／ thay đổi

2　会議が始まるまえ、A会議室はどうなっていますか。

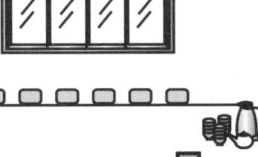

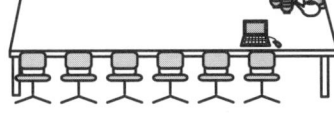

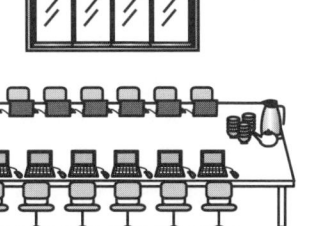

（3）

春になると、日本人は桜を見に行く習慣があります。これは「花見」と呼ばれています。花見の習慣が広まったのは、1700年ごろだと言われています。この時代、政府は国民に、あまりお金を使ってほしくありませんでした。しかし、お金を使わない生活は楽しくありません。これでは、国民から不満が出てきます。それで、政府は桜を育てて、桜の花を見て楽しむという、あまりお金がかからない遊びを考え出したと言われています。

- □ 広まった（広まります）　to spread, to become common／传播／넓어지다, 퍼지다／phổ biến
- □ 政府　government／政府／정부／chính phủ
- □ 国民　citizen(s) of a country／国民／국민／người dân
- □ 不満　dissatisfaction／不満／불만／bất mãn

3 「花見」は、何のためにできましたか。

1　国民にお金をたくさん使わせるため
2　国民があまりお金を使わないで遊ぶため
3　政府が国民からもらうお金を増やすため
4　政府が国民にあげるお金を少なくするため

(4)

　日本の結婚式には、いろいろなタイプがある。その中で、神社で行う結婚式の歴史は新しい。むかしは、神社では結婚式を行っていなかった。20世紀のはじめ、ある神社の人がキリスト教の結婚式を見て、「神社でも、あのような結婚式を行ったらいい」と考えて、神社での結婚式を始めたと言われている。神社は千年以上前から日本にあったが、神社での結婚式はまだあまり長い歴史がない。

- □ 結婚式　wedding／結婚典礼／결혼식／lễ kết hôn
- □ 神社　shrine／神社／신사／đền
- □ 20世紀　20th century／二十世紀／20 세기／thế kỷ 20
- □ キリスト教　Christianity／基督教／기독교／đạo Thiên Chúa

4　この文章の内容と合っているものはどれですか。

1　千年以上前から、日本人は神社で結婚式を行っていた。
2　むかしは、神社で結婚式を行うのはよくないと思われていた。
3　神社での結婚式よりも先に、キリスト教の結婚式が行われていた。
4　むかしから神社で行っていた結婚式をやめて、新しい結婚式を始めた。

(5)　　　　　　　　　　　　　　　　　　　　⌛ 4分でチャレンジ

　もうすぐ雨の季節です。わたしは天気が悪いと気持ちが暗くなって、具合が悪くなるので、そのことについて調べてみました。そして、これが「気象病」という病気だとわかりました。天気が悪くなると、頭が痛くなったり、具合が悪くなったりするのは、自分の気持ちが暗くなったからだと思っていました。でも、そうではありませんでした。これは病気だそうです。だから、はやく病院に行って、具合が悪くなるまえに、薬を飲んだほうがいいそうです。

5　そうではありませんでしたのそうとは何ですか。

　　1　「気象病」という病気がある。
　　2　天気が悪いと、具合が悪くなる。
　　3　具合が悪くなるのは、自分の気分が原因だ。
　　4　天気と病気には関係がありそうだ。

(6)　　　　　　　　　　　　　　　　　　　　　⏳ 4分でチャレンジ

これは、料理の作り方です。

ナスの揚げびたし

○ ナスを、食べやすい大きさに切ります。

○ フライパンに油を入れます。

○ 油が熱くなったら、ナスをフライパンに入れて、1分くらい揚げます。

○ ナスを揚げている間に、ボウルにしょうゆと酢を入れて「つゆ」を作りましょう。

○ ナスが熱いうちに、この「つゆ」に入れます。

☐ ナスの揚げびたし　deep fried eggplant (aubergine) with tsuyu broth ／水焯油炸浸汁茄子／가지의 아게비타시 (가지를 튀겨 국물에 재운 요리) ／cà tím chiên ngâm nước sốt

☐ フライパン　frying pan ／平底锅／프라이팬／chảo

☐ 油　oil ／油／기름／dầu

☐ 揚げます　to fry ／油炸／튀기다／chiên

☐ ボウル　bowl ／洗菜盆、盛菜盆／그릇／tô

☐ 酢　vinegar ／醋／식초／giấm

6　ナスを「つゆ」に入れるのは、いつですか。

1　フライパンが熱くなったら「つゆ」に入れます。
2　ナスを揚げてすぐに「つゆ」に入れます。
3　ナスを揚げてから「つゆ」を作って、入れます。
4　ナスを食べるときに「つゆ」に入れます。

(7)

　夏目漱石は日本の作家です。1867年に東京で生まれました。東京の大学を卒業してから、中学校の先生になりました。それから、高校で働いて、英語教育を勉強するために、イギリスに行きました。日本に帰ってきてから、東京大学で英語とイギリス文学を教えました。そして、1905年に、はじめて書いた小説を発表しました。また、次の年に発表した『坊っちゃん』という小説は、とても有名になりました。

- □ 作家（さっか）　novelist, writer ／作家／작가／ nhà văn
- □ 文学（ぶんがく）　literature ／文学／문학／ văn học
- □ 発表（はっぴょう）　announcement, release ／发表／발표／ phát biểu

[7] 夏目漱石がイギリスに行ったのは、どうしてですか。

1　小説の書き方を勉強するためです。
2　英語の教え方を勉強するためです。
3　大学の先生になるためです。
4　イギリスで日本文学を教えるためです。

(8)

　先週はじめて旅館に泊まりました。旅館では、ふとんでねます。わたしたちが旅館についた時は、部屋にふとんがありませんでしたが、温泉に入りに行って、部屋に戻ったら、床にふとんがしいてありました。温泉に入っているうちに旅館の人が用意してくれたのです。旅館では、自分の部屋に食事を運んでくれるので、部屋でゆっくり食事ができます。料理は日本料理で、どれもとてもきれいでおいしかったです。

- □ 温泉　hot spring, spa ／温泉／온천／ suối nước nóng
- □ 床　floor ／地板／마루, 바닥／ sàn
- □ しいて（しきます）　to spread, to lay out ／铺／깔다／ trải

8　ふとんはどうやって準備されましたか。

1　わたしたちが旅館につくまえに、旅館の人がしいておいてくれました。
2　わたしたちが温泉にふとんをとりに行って、用意しました。
3　わたしたちが部屋にいない間に、旅館の人がしいてくれました。
4　旅館の人が、食事といっしょにふとんを運んでくれました。

(9) 🕰 4分でチャレンジ

これは、アルさんのスピーチについての先生からのコメントです。

スピーチタイトル	わたしのねこ「ミー」
発表者	ダルディン・アル
内容	アルさんのねこのことがよくわかる話でした。長さもちょうどよかったです。
日本語	ぶんぽうはただしかったです。かんたんなことばをつかったので、みんなにわかりやすかったです。
話し方	少しはやかったです。メモを急いで読みましたね。メモを見ないほうがいいです。声は大きくてよかったです。
パワーポイント	字が多くなくて、見やすかったです。

☐ スピーチ　speech／演讲／연설／bài phát biểu
☐ コメント　comment／评论／코멘트／bình luận
☐ 内容　content(s)／内容／내용／nội dung
☐ パワーポイント　Powerpoint／演示制作软件 (PPT)／파워포인트／power point

9　アルさんがなおしたほうがいいのは、何についてですか。

1　内容
2　日本語
3　話し方
4　パワーポイント

(10)

東京で「そのしごと、自分がします。」と言ったら、「そのしごと、わたしがします。」という意味です。でも、先週大阪に行ったとき、大阪の友だちが「自分、晩ごはんどうする?」とききました。わたしはどうして自分の晩ごはんのことをわたしにきくのかわかりませんでした。あとで、大阪では、会話で「自分」と言ったら、「あなた」という意味になると聞きました。日本語はむずかしいですね。

☐ 東京　Tokyo(the name of a place)／东京（地名）／도쿄 (지명) ／ Tokyo(địa danh)
☐ 大阪　Osaka(the name of a place)／大阪（地名）／오사카 (지명) ／ Osaka(địa danh)

10 「わたし」は何がわかりませんでしたか。

1　友だちの質問の意味
2　そのしごとをする人
3　晩ごはんの食べ物
4　わたしのききたいこと

(11)

夜、よく眠れる人とあまり眠れない人がいます。眠れない原因は、病気など、その人の体に問題がある場合と、その人の環境に問題がある場合があります。環境に問題がある場合は、家族（子どもや病気の人）に起こされる場合と、電車や車の音など、外で音がする場合があります。家族に起こされる、という人は多いですが、外の音が気になって眠れない人は、とても少ないです。今は、電車や車の音が静かになったからではないでしょうか。

□ 環境　environment／环境／환경／môi trường

[11] この文章は、何について書いてありますか。

1　夜に眠れない原因
2　体にいい眠り方
3　静かな環境のつくり方
4　大きな音を出さない技術

(12)　　　　　　　　　　　　　　　　　　　　　　　4分でチャレンジ

　日本では、今、自分で着物を着ることができる人はあまり多くありません。だれかに着せてもらいます。わたしは、着物を着せるしごとをしています。
　３月は、大学の卒業式があります。女の人は着物で卒業式に出席することが多いので、しごとがいそがしいです。毎日、朝はやく、お客さんの家に行って、着物を着せます。きのうは、卒業式が９時からだったので、朝６時にお客さんの家に行きました。わたしはもう慣れましたが、朝はやく起きて準備しなければならないお客さんはたいへんだといつも思います。

☐ 着せて（着せます）　to put on, to dress (another person) ／给穿／입히다／ mặc quần áo cho
☐ 卒業式　graduation ceremony ／毕业典礼／졸업식／ lễ tốt nghiệp

12 「わたし」は何がたいへんだと思いますか。

　1　わたしが朝はやくしごとに行くこと
　2　学生が着物のために朝はやく起きること
　3　３月に卒業式がたくさんあること
　4　学生が毎朝はやく起きなければならないこと

(13)

くつを買ったら、くつの使い方の説明が入っていました。

くつを長く使うために

お買い上げありがとうございます。

・毎日、はかないでください。
・ときどきかわいた布などでふいて、よごれをおとしてください。
・ぬれた布でふくと、色がおちることがあります。
・長い間はかないときは、ときどき風にあててください。
・きずがついたときは、お店へお持ちください。

- 布　cloth／布、帕／천／vải
- 風にあてて（風にあてます）　to expose to the wind／吹风，晾／바람을 쐬다／phơi gió
- きず　scratch／伤口、划伤／상처, 흠집／vết xước

13 くつを長く使うために、よごれたとき、どうしたらいいですか。

1　よごれを水でおとします。
2　よごれを風にあてます。
3　よごれを店の人にとってもらいます。
4　よごれをかわいた布などでとります。

(14)

　図書館では本を借ります。本屋では本を買います。それ以外、何がちがいますか。図書館では、本の分類のしかたが決められています。「日本十進分類法」という分類のしかたが有名です。だから、この分類で本を並べます。例えば、歴史の勉強の本は「歴史」のところにありますが、歴史の小説は「小説」のところにあります。でも、本屋はそうではありません。歴史が好きな人は、勉強の本も小説の本も読みたいかもしれません。それで、本を探す人のために、両方を同じ本だなに置く本屋もあります。これなら、好きな本を見つけやすいですね。

□ 分類　classification ／分类／분류／ phân loại
□ 本だな　bookshelf ／书架／책장／ giá sách

14　この文章で、図書館と本屋はどうちがうと言っていますか。

1　本の数
2　本の歴史
3　本の読み方
4　本の並べ方

(15)

　日本の酒は、10月から2月ごろにつくられます。酒をつくる場所は「酒蔵」と呼ばれます。酒蔵の人は、新しい酒ができると、入り口に「杉玉」というものを飾ります。杉玉は、杉という木の葉でつくった丸いボールです。これを飾って、周りの人に、新しい酒ができたことを伝えます。杉の葉は、最初はきれいな緑色ですが、だんだん、茶色に変わっていきます。周りの人は、その色の変わり方で、酒が新しいのか古くなってきたのかがわかります。

- □ 飾ります　to decorate (as an ornament) ／装饰／장식하다／ trang trí
- □ 杉　cedar ／杉树／삼나무／ cây liễu sam
- □ だんだん　gradually, little by little ／渐渐地／점점／ dần dần

15　この文章は、何について書いてありますか。

1　新しい酒のつくり方
2　新しい酒ができたときの習慣
3　新しい酒のおいしい飲み方
4　新しい酒の上手な売り方

(16)

　わたしは本を買いに行きました。買いたい本がその本屋になかったので、注文しました。店員は「大村とおるさんの小説ですか。来週、大村さんに会いますよ。サインをもらってきましょうか。」とわたしに言いました。びっくりしましたが、「お願いします。」とこたえました。

　家に帰って、姉に、このことを話しました。姉が「その店員は、有名な編集者の戸山さんだと思う。たまに、あの本屋を手伝っているらしいよ。」と教えてくれました。わたしは、好きな作家のサインをもらうことができました。

- □ 注文　　order／订购／주문／đặt hàng
- □ サイン　autograph／签名／사인／chữ ký
- □ 編集者　editor／编者／편집자／người biên tập
- □ 作家　　writer, author／作家／작가／nhà văn

16　「わたしは」どうして大村とおるさんのサインをもらうことができましたか。

1　店員が作家に本屋に来てほしいと頼んだからです。
2　店員がその作家だったからです。
3　店員が作家のサインをたくさん持っていたからです。
4　店員が作家にサインを頼んでくれたからです。

(17)

これは、タスさんからみかよさんに届いたメールです。

From：	tasslert@xxxxxx.com
To：	mikayo@xxxxxx.com
件名	Re タイ旅行

みかよさん

来週はタイですね。
タイでは、ほとんどのレストランが日本ほど高くないです。ぜひ、行ってみてください。屋台の食べ物も、安くておいしいですから、ためしてください。みかよさんはタイ料理が好きだから、もし時間があったら、タイ料理の作り方を教えてくれる教室に行ったらどうでしょうか。いい教室を紹介しますよ。みかよさんはタイ語ができないと心配していましたが、その教室の先生は英語が話せるので、教室では英語で話せます。どうですか。
それでは！

タス

- □ タイ　Thailand ／泰国／태국／Thái Lan
- □ 屋台　a stall, a stand (in the street)／帯棚的移动式售货摊／포장마차／xe bán hàng
- □ ためして（ためします）　to try, to taste ／试试／시험해 보다／thử
- □ すすめます　to recommend, to suggest ／劝／권하다／khuyên khích

17　タスさんはみかよさんに何をすすめましたか。

1　タイのレストラン、日本料理のレストラン、タイ語教室
2　タイのレストラン、屋台、英語教室
3　タイのレストラン、タイ語教室、タイ料理教室
4　タイのレストラン、屋台、タイ料理教室

(18)　　　　　　　　　　　　　　　　　　　　4分でチャレンジ

　2月は28日までですが、4年に1回、29日まであります。29日まである年を「うるう年」と言います。うるう年の基本的な規則は4年に1回ですが、100でわれる年、たとえば、1700年、1800年などはうるう年ではありません。規則はこれだけではありません。400でわれる年は、100でもわれますが、うるう年になります。だから、2000年はうるう年でしたが、2100年はうるう年ではありません。

□ 基本的な　basic, fundamental ／基本的／기본적／cơ bản
□ われる（わります）　to divide／除以，除（法）／나누다／chia

18　どうして2000年はうるう年でしたか。

1　28日までしかなかったからです。
2　2100年はうるう年ではないからです。
3　100でわれる年だったからです。
4　400でわれる年だったからです。

(19)

　日本に「夜間中学」ができたとき、若くて、はたらきながら勉強したい人が行っていました。むかしは、お金がなくて、小さいときからはたらかなくてはいけない人がたくさんいたからです。夜に学校で勉強するので、「夜間中学」と言います。

　今は、「夜間中学」にはいろいろな人がいます。はたらいている人は少なくて、おじいさんやおばあさんや、外国人が勉強しています。このような人は、若いときは忙しくて勉強できなかった人です。

☐ 夜間中学　night junior high school ／夜校／야간 중학／trường cấp 2 ban đêm
☐ むかし　　a long time ago ／过去／옛날／ngày xưa

19　今、「夜間中学」にはどんな人が多いですか。

　1　昼だけではなく、夜も勉強したい人
　2　若いときに勉強する時間がなかった人
　3　若いときも今もたくさん勉強したい人
　4　学校に行くお金がない人

(20)

　今日、かばん屋さんのバーゲンに行きました。かばんが全部8割引でした。そのお店で2か月前に元の値段で買ったかばんも8割引で売っていました。わたしはそのかばんを持っているのに、また同じかばんを買いたくなりました。そうすれば、まえに買ったかばんは4割引、これから買うかばんも4割引になると考えたからです。買ったあと、そのかばんは、友だちのプレゼントにすることにしました。

- □バーゲン　bargain sale／打折／바겐세일／giảm giá
- □8割引　80% off／打兩折／80 퍼센트 할인／giảm 80 %
- □元　original, starting／原来／원래／gốc

20 どうして「わたし」はそのかばんを買いましたか。

1　友だちにあげるかばんをさがしていたからです。
2　まえに買ったかばんと同じ物がとても安くなっていたからです。
3　まえに買ったかばんも4割引にしてもらえるからです。
4　そのお店のかばんが好きだからです。

(21)

　日本では、「無洗米」という米が売られています。これは、炊くまえに洗わなくてもいい米です。

　ふつうの米は、炊くまえに水で洗います。どうして洗うのでしょうか。それは、米の表面に「ぬか」がついているからです。この「ぬか」はおいしくないので、食べるまえに洗って落とします。無洗米は、機械でこの「ぬか」をとった米なので、洗わなくてもいいのです。

　米を水で洗うよりも、特別な機械を使って「ぬか」をとるほうが、表面のおいしい成分がこわれません。だから、無洗米はおいしいと言う人もいます。

- ☐ 炊く（炊きます）　to cook rice, to boil rice／煮／짓다／nấu
- ☐ 表面　surface／表面／표면／mặt ngoài
- ☐ 成分　ingredient, part／成分／성분／thành phần

21 「無洗米」はどんな米ですか。

1. おいしい「ぬか」がついている米
2. 「ぬか」を水で洗って落とした米
3. 機械で「ぬか」をとった米
4. 機械でおいしい成分をたした米

(22)

　きのう庭で、せんたくしたシャツをハンガーにかけていたら、カラスがとんで来てハンガーだけとって行きました。ちょっとこわかったですが、カラスにハンガーをぬすまれたという話を聞いたことがあったので、あまりおどろきませんでした。でも、どうしてシャツではなくてハンガーをぬすむのかわからなかったので、友だちにききました。カラスはそれで巣をつくるそうです。ハンガーの針金は枝よりじょうぶだからいいとカラスはわかるそうです。

- ハンガー　hanger／衣架／옷걸이／cái móc áo
- カラス　crow／乌鸦／까마귀／con quạ
- 巣　nest／巢／둥지／tổ
- 針金　wire／铁丝／철사／dây kim loại

22　それは何ですか。

1　シャツ
2　ハンガー
3　カラス
4　枝

(23) 4分でチャレンジ

　シェアアパートというのを知っていますか。自分一人の部屋がありますが、台所やおふろなどはアパートのみんなといっしょに使います。一人になりたいときは自分の部屋にいればいいし、さびしいときは台所かリビングルームに行けばだれかがいます。それから、冷蔵庫や洗濯機などはみんなのを使います。だから、ひっこすとき荷物が少なくてべんりです。わたしはよくひっこすのでシェアアパートに住んでいます。でも、いつも一人でいたいので、台所やリビングルームにはあまり行きません。

- □ シェアアパート　　shared apartment／(客厅、某些电器) 共用的公寓／셰어 아파트／chung cư có phòng riêng và dùng chung phòng sinh hoạt
- □ リビングルーム　　living room／客厅／리빙룸／phòng khách

23　「わたし」はどうしてシェアアパートに住んでいますか。

1　一人だとさびしいときと、一人になりたいときがあるからです。
2　一人でいるのが好きですが、ほかにべんりな点があるからです。
3　一人でいたくないとき、台所などでだれかに会えるからです。
4　一人で住むと、冷蔵庫や洗濯機は高くて買えないからです。

(24)

　食べることができるのに、食べ物をすてることがあります。たとえば、店で売れなかった場合や、家庭で、たくさん料理を作って少ししか食べられなかったり、食べるのを忘れてしまったりする場合です。これは「食品ロス」と呼ばれ、問題になっているそうです。

　この問題をなくすためには、どうすればいいでしょうか。店には、食べ物をたくさんおかないほうがいいです。売れないで残ってしまうものを少なくしましょう。家庭では、食べ物を買いすぎたり、料理をたくさん作りすぎたりしないことが大切です。

□売れない（売れます）　to sell／畅销／팔리다／bán được

24 この文章で、いちばん言いたいことは何ですか。

1　「食品ロス」が問題になっているのは、ほんとうですか。
2　店でも家庭でも、「食品ロス」を少なくしましょう。
3　店でも家庭でも、「食品ロス」が増えています。
4　「食品ロス」を少なくすることは、とても難しいです。

中文

もんだい つぎの(1)から(6)の文章を読んで、質問に答えてください。答えは、1・2・3・4から、いちばんいいものを一つえらんでください。

(1)

⌛ 8分でチャレンジ

　1964年の10月10日は、東京オリンピックの開会式があった日です。この日は、雨が降らないほうがよかったので、担当者は、いつも何月何日が晴れているかを調べました。そして、10月10日に決めました。

　10月10日も晴れやすいですが、10月15日のほうが、もっと晴れやすいそうです。なぜ10月10日になったのでしょう。それは、わかりません。でも、10月10日は土曜日でした。休みの日なので、たくさんの人がテレビでオリンピックを見ることができます。これはわたしの考えです。

- □ 東京オリンピック　The Tokyo Olympics ／东京奥运会／동경 올림픽／Thế vận hội Tokyo
- □ 開会式　The Opening Ceremony ／开幕式／개회식／lễ khai mạc
- □ 担当者　person in charge, person responsible ／负责人／담당자／người phụ trách
- □ 考え　idea, thought ／想法／생각／suy nghĩ

[25] 10月10日は、どんな日ですか。

1 たいてい晴れる日です。
2 今まで雨が降ったことがない日です。
3 あまり暑くない日です。
4 10月でいちばん晴れやすい日です。

[26] 「わたし」はどうして開会式が10月10日になったと思っていますか。

1 10月15日より10日のほうが晴れやすいからです。
2 みんながテレビで開会式を見られるからです。
3 担当者が「10月10日はかならず晴れる」と言ったからです。
4 みんなが開会式に出席したいからです。

(2)　　　　　　　　　　　　　　　　　　　　　⧖ 8分でチャレンジ

　わたしは高校のとき、とてもきびしいバレーボールクラブに入りました。1年生のとき先生に練習するように言われなくても、毎朝はやく学校に行って練習をしました。はやくせんぱいのようにじょうずになりたかったです。それに、わたしたち1年生だけで楽しく練習できる時間は特別でした。この特別な時間のために、はやく起きるのが大変でも、毎朝行きました。そして、授業のまえに、みんなで朝ごはんのおべんとうを食べました。練習でつかれたあとのおべんとうは、とてもおいしかったです。

　授業のあとも、練習がありました。せんぱいたちといっしょに練習しました。練習や練習試合をたくさんしたのに、わたしたちは強いチームになれませんでした。みんな背が低かったからです。でも、試合に勝てなくても、朝も夜もみんなといっしょに練習したことは、わたしの高校時代のいちばんの思い出です。

☐ クラブ　　club／俱乐部／클럽／câu lạc bộ
☐ チーム　　team／团队／팀／đội
☐ 思い出　　memories／回忆／추억／kỉ niệm

27 どうして朝も練習をしましたか。

1 先生に練習するように言われたからです。
2 朝ごはんのおべんとうがおいしかったからです。
3 せんぱいといっしょに練習するのが好きだったからです。
4 先生やせんぱいがいない練習時間が好きだったからです。

28 わたしたちはいつ朝ごはんを食べましたか。

1 朝の練習のまえ
2 朝の練習中
3 朝の練習のあと
4 授業のあと

29 わたしたちのチームはどんなチームでしたか。

1 練習をたくさんしても、弱いチームでした。
2 練習がたいへんすぎたので、弱いチームでした。
3 朝も夜も練習したため、強いチームでした。
4 練習試合をたくさんしたので、強いチームでした。

(3)

　日本では、いろいろな町にマスコットがいます。たとえば、愛媛県の今治市には「バリィさん」という、鳥の形のマスコットがいます。バリィさんは、今治市のいい点を宣伝するためにつくられました。このようなマスコットは「ゆるキャラ」と呼ばれていて、1000以上もあるそうです。

　ゆるキャラは、ほとんどの人が「かわいい」と思う顔や形ですから、みんなに愛されています。旅行に行くと、おみやげで、ゆるキャラのおかしやキーホルダーがたくさん売られています。それから、いろいろな町のゆるキャラを集めて、どのゆるキャラがいちばん人気があるか、競争するイベントもあります。

　その町のゆるキャラが有名になれば、おみやげがたくさん売れたり、たくさんの人がゆるキャラに会いに来たりするかもしれません。町にお金が入るでしょう。「ゆるキャラ」のようなマスコットは、日本の町に必要になっています。

☐ マスコット　　mascot ／吉祥物／마스코트／con vật biểu tượng
☐ 愛媛県今治市　Imabari Town in Ehime Prefecture ／愛媛县今治市（日本的地名）／에히메현 이마바리시（일본 지명）／Thành phố Imabari, tỉnh Ehime (địa danh Nhật Bản)
☐ 宣伝する（宣伝します）　to advertise ／宣传／선전하다／quảng cáo
☐ 人気　　popularity ／声望／인기／phổ biến
☐ イベント　　event ／活动／이벤트／sự kiện

[30] 「バリィさん」は何ですか。

1 いろいろな町のイベントに行くためのマスコット
2 町に鳥を増やすためにつくられたマスコット
3 町のよさを人々に伝えるためのマスコット
4 町に住む人といっしょに遊ぶためのマスコット

[31] みんなは、どうして「ゆるキャラ」が好きですか。

1 おもしろい形だからです。
2 かわいい形だからです。
3 たくさん売られているからです。
4 タイプがたくさんあるからです。

[32] 「ゆるキャラ」が有名になれば、どんなことが起きますか。

1 その町の経済がよくなります。
2 その町にひっこす人が増えます。
3 その町の「ゆるキャラ」の種類が増えます。
4 その町は「ゆるキャラ」が必要ではなくなります。

(4)

　先週の金曜日、うちに帰ったら、台湾の母がわたしのアパートの部屋にいた。部屋のかぎをわたしていないのに、どうやって部屋に入ったのかわからなかった。きいたら、大家さんに部屋のかぎを開けてもらったと言っていた。母は日本のアイドルのコンサートを見たくて、日本に来たそうだ。今年50才になる母は、21才のアイドルのファンだ。それで、コンサートに若い女の子のような格好で出かけて行った。

　わたしは日本に来てから料理を作れるようになったので、母にわたしの料理を食べてほしかった。だから、毎晩日本料理や台湾料理を作って、母の帰りを待っていた。それなのに、母は毎晩12時ごろ帰ってきた。一度もわたしと食事をしないで、友だちと遊んでばかりいたらしい。母は高校生のようだ。

☐ 台湾　　Taiwan／台湾／대만／Đài Loan
☐ 大家さん　　landlord, landlady／房东／집주인／chủ nhà
☐ アイドル　　pop idol, fashion idol／偶像／우상／thần tượng
☐ ファン　　fan／迷 , 粉丝／팬／fan

[33]　「わたし」の母はどうやって部屋に入りましたか。

　　1　大家さんにかぎをもらった。
　　2　かぎが開いていた。
　　3　「わたし」がかぎをわたしていた。
　　4　大家さんがかぎをあけた。

[34]　母は何をしに日本に来ましたか。

　　1　「わたし」と食事をするため
　　2　「わたし」に料理の作り方をおしえるため
　　3　コンサートに行くため
　　4　友だちのうちにとまるため

[35]　「わたし」は母をどう思っていますか。いちばん合うものをえらんでください。

　　1　50才らしい。
　　2　わかい。
　　3　やさしい。
　　4　アイドルみたい。

(5)

　渡辺恵美さんという友だちがいます。10年くらいまえに、会社で会った友だちです。彼女はいつも明るくて、自由です。部長にレポートを出しなさいと言われても、恵美さんはすぐ出しません。忙しいときでも、よく仕事を休みます。悪い社員みたいですね。会社で恵美さんを見ていると、びっくりすることがよくあります。夏の暑い日、社長がちょっとくさかったとき、「くさいですよ。」と<u>言ってしまったことがあります</u>。そのとき、わたしもほかの人も、社長もみんなびっくりして、何も言えませんでした。それでも、会社の人も、お客さんも、みんな恵美さんが大好きです。それはどうしてでしょうか。それは、たぶん、恵美さんが自分にとても正直で、自分をとても大切にしているからだと思います。自分に正直な恵美さんは、ほかの人にもうそを言いません。自分を大切にする恵美さんは、ほかの人も大切にします。だから、みんなが恵美さんを好きなんだと思います。わたしもその一人です。

　わたしは今、その会社をやめてほかの会社で働いているので、今は仕事でびっくりすることがあまりありません。つまらないですね。

- □ 社員　　　company employee ／公司职员／사원／ nhân viên công ty
- □ くさい　　smelly, smelling bad ／臭的／고약한 냄새가 나다／ hôi thối
- □ 正直な　　honest ／诚实／정직한／ thành thật

36 恵美さんとわたしの関係は何ですか。

1　会社のお客です。
2　まえの会社の友だちです。
3　今の会社の友だちです。
4　大学の友だちです。

37 だれがだれに言ってしまったことがありますか。

1　恵美さんがわたしに
2　わたしが恵美さんに
3　恵美さんが社長に
4　社長が恵美さんに

38 「わたし」はどうして恵美さんが好きですか。

1　みんなが恵美さんのことを好きだからです。
2　恵美さんがわたしのことを好きになったからです。
3　恵美さんは、わたしをびっくりさせるために、おもしろいことを言うからです。
4　恵美さんは、自分のこともみんなのことも大切にするからです。

(6)

栃木県を旅行したいとき、どこに行ったり、何をしたりすると楽しいでしょうか。

まず、温泉です。栃木県には、那須温泉と鬼怒川温泉という、むかしから有名な温泉があります。温泉が好きな人は、一日で両方の温泉に行きたいかもしれません。でも、遠いので、それは難しいと思います。どちらか一つの場所に泊まりましょう。

次にいいところは、秋の中禅寺湖です。景色がとてもきれいです。湖の周りの木の葉が赤や黄色になり、美しい紅葉を見ることができます。船で湖を進むと、景色がよく見えて、とても気持ちがいいです。

おいしい食べ物もいろいろあります。特にイチゴがおいしいです。「とちおとめ」は、少し小さいイチゴです。そのあと、「スカイベリー」という大きなイチゴがつくられました。「スカイベリー」はケーキに使われています。栃木県のいろいろな場所でイチゴを買ったり、食べたりすることができます。

- ☐ 栃木県　Tochigi Prefecture ／栃木县／도치기현／ tỉnh Tochigi
- ☐ 温泉　hot spring, hot spring bath ／温泉／온천／ suối nước nóng
- ☐ 中禅寺湖　Chuzenji Lake ／中禅寺湖／주젠지 호수／ hồ Chuzenji
- ☐ 紅葉　autumn leaves, autumn colours ／红叶／단풍／ lá đỏ

39 それとは、どんなことですか。

1 那須温泉か、鬼怒川温泉か、どちらか一つに泊まること
2 一日で、那須温泉と鬼怒川温泉の両方に入ること
3 温泉が好きな人に、一つの温泉を選ばせること
4 温泉が好きな人に、温泉以外の楽しい場所を教えること

40 どうして、中禅寺湖がいいと言っていますか。

1 大きな船に乗ることができるからです。
2 秋は、湖からきれいな木の葉が見えるからです。
3 湖の水がきれいで、船から魚が見えるからです。
4 湖の水が赤や黄色に変わってきれいだからです。

41 「スカイベリー」はどんなイチゴですか。

1 大きくて、ケーキに使われているイチゴ
2 小さくて、ケーキに使われているイチゴ
3 苦くて、ジャムに使われているイチゴ
4 あまくて、ジャムに使われているイチゴ

42 この文章は、どんなことについて書いてありますか。

1 栃木県に住んでいる人が好きな場所や、好きな果物の種類
2 栃木県に新しくできた温泉や、むかしの有名な食べ物
3 栃木県で、旅行に行くと楽しい場所や、おいしい食べ物
4 栃木県で、遊んだり、おいしいものを食べたりする人

情報検索

もんだい 右のページの案内を見て、下の質問に答えてください。答えは、1・2・3・4から、いちばんいいものを一つえらんでください。

(1)　　　　　　　　　　　　　　　　　　　　　　　⌛ 5分でチャレンジ

43 さとうさんは、毎日、たくさん予定を書きます。大きい字を書くので、大きい手帳がほしいです。どの手帳を買ったらいいですか。

1　A
2　B
3　C
4　D

44 やまもりさんは、自分の予定といっしょに、子どもの予定も書きたいです。どの手帳を買ったらいいですか。

1　A
2　B
3　C
4　D

新しい年が始まるまえに、新しい手帳を買いませんか？

Ⓐ 見開き：1か月タイプ
- 1か月の予定をいちどに見ることができます。
- 予定が見やすいので、しごとに使いやすいです。
- 1か月のカレンダーだけではなく、自由に書けるページがたくさんあります。

Ⓑ 見開き：2週間タイプ
- 2週間の予定をいちどに見ることができます。
- 毎週の予定が見やすいです。
- 小さいので、ポケットに入ります。

Ⓒ 見開き：1週間タイプ
- 1週間の予定をいちどに見ることができます。
- 自分の予定だけでなく、家族の予定を書くところがあります。
- 小さなかばんに入ります。

Ⓓ 1日1ページタイプ
- 1日の予定がたくさん書けます。
- 予定を書くだけではなく、日記に使ってもいいですね。
- AタイプやCタイプよりも大きいです。

☐ 見開き　a two-page spread, something covering two facing pages in a book／和合页，打开书籍同时看到的相连编排的左右两页／좌우 양면／hai trang đối mặt

もんだい　右のページの「テストについて」を見て、下の質問に答えてください。答えは、1・2・3・4から、いちばんいいものを一つえらんでください。

(2)　　　　　　　　　　　　　　　　　　　　　　　　　⌛ 5分でチャレンジ

45　カクさんは、テストに10分おくれましたが、11時15分にテストを終わらせました。カクさんは、いちばんはやくて何時に教室を出ることができますか。

1　11:15
2　11:25
3　11:30
4　11:40

46　ケンさんは、テスト中にトイレに行きました。この場合、ケンさんはどうなりますか。

1　トイレのあとでテストを続けます。
2　12時からテストを続けます。
3　11時半に教室にもどります。
4　トイレのあとは教室にもどれません。

テストについて

日にち：4月28日（木）

時　間：9時30分〜12時

持ち物：えんぴつ・けしごむ

――――― 注意！ ―――――

・携帯電話を消してください。

・テスト中、話してはいけません。
　話したら、テストをやめて教室を出なくてはいけません。

・テストにおくれても、終わりの時間は変わりません。おくれないでください。

・はやくテストが終わったら、11時30分から教室を出てもいいです。

・一度教室を出たら、12時まで教室に入ることはできません。

もんだい 右のページの「プラネタリウム　アタカマ」のホームページを見て、下の質問に答えてください。答えは、1・2・3・4から、いちばんいいものを一つえらんでください。

(3)　　　　　　　　　　　　　　　　　　　　　　　　⏳ 5分でチャレンジ

[47] ケンさんは、おくさんと7才の子どもとプラネタリウムに行きます。全部でいくらですか。

1　1800円
2　1500円
3　1250円
4　1200円

[48] 山田先生は、大学の学生を連れて10人でプラネタリウムに行きます。チケットは全部でいくらで、どうやって買いますか。

1　チケットは5000円で、当日買います。
2　チケットは6000円で、当日買います。
3　チケットは5000円で、予約します。
4　チケットは6000円で、予約します。

https://www.cosmo.mukashi.tokyo.jp/guide_cosmo.html

[お知らせ] [アルバム] [施設案内] [交通アクセス]

プラネタリウム アタカマ

利用案内	
休館日	月曜日
開始時間	13:00 / 14:30 / 16:00 / 19:00
入場料	大人 600 円　　15才以下 300 円 ※チケットは当日販売します。 団体（10人以上） 　大人 500 円　　15才以下 250 円 ※団体はチケットを予約してください。
客席	120 席（自由席）
お問い合わせ：	プラネタリウム アタカマ 03-4545-4545（10：00-18：00）

- □ プラネタリウム　planetarium／天文館／플라네타륨／cung thiên văn
- □ 当日　that day, the same day／当天／당일／ngày hôm đó
- □ 販売　sale, selling／售卖／판매／bán
- □ 団体　group／团体／단체／doàn thể

もんだい　右のページの「体育館の使い方」を見て、下の質問に答えてください。答えは、
　　　　　1・2・3・4から、いちばんいいものを一つえらんでください。

(4)　　　　　　　　　　　　　　　　　　　　　　　　⌛ 5分でチャレンジ

49　カクさんは、火曜日4時ごろからバスケットボールがしたいです。どうしますか。

　1　1週間前までに体育館を予約します。
　2　4時ごろ体育館に行って、人がいたら、終わるのを待ちます。
　3　その日の3時までに体育館を予約します。
　4　4時ごろ体育館に行って、人がいたら、いっしょに体育館を使います。

50　アルさんは、4月3日にバレーボールを借りたいです。貸出ノートにどう書いて、いつ返さなければなりませんか。

　1　「Nクラス　アル　32番　4月3日」と書いて、4日に返します。
　2　「Nクラス　アル　バレーボール　4月3日」と書いて、3日に返します。
　3　「Nクラス　アル　32番　4月3日」と書いて、3日に返します。
　4　「Nクラス　アル　バレーボール　4月3日」と書いて、4日に返します。

体育館の使い方

学校の体育館を使うことができます。
スポーツを楽しんだり、新しい友だちをつくったりしましょう。

使える日：土曜日と日曜日
　　　　　１週間前までに予約してください。
　　　　　貸し切ることができます。

月曜日〜水曜日の３時から５時
予約しなくてもいいです。
みんなで場所をわけて使うか、いっしょに試合をする
などしてください。

ボールなどの借り方
・貸出ノートに、クラス、名前、借りるものの番号、借りた日を書きます。
・使ったあと、必ずその日に返してください。

注意！
・外のくつをはいたまま入ってはいけません。きれいなくつにかえてください。
・体育館の中で、食べたり飲んだりしてはいけません。

□ 体育館（たいいくかん）　gym／体育馆／체육관／phòng tập thể dục
□ 貸し切る（貸し切ります）（かしきる／かしきります）　to reserve, to charter／包场, 全部借出／전세 내다／đặt chỗ trước
□ わけて（わけます）　to share／分开／나누다／chia
□ ボール　ball／球／공／quả bóng
□ 貸出（かしだし）　lending, a loan／租借／대출, 대여／cho thuê

もんだい　右のページのお知らせを見て、下の質問に答えてください。答えは、1・2・3・4から、いちばんいいものを一つえらんでください。

(5)　　　　　　　　　　　　　　　　　　　　　　　　　　5分でチャレンジ

51　このお知らせがつくられたのは、なぜですか。

1　子どものために、新しくていいプールをつくるお金を集めたいからです。
2　子どものプールをなおすために、お金がもっと必要だからです。
3　子どものプールの値段が安くなったので、チケットを売りたいからです。
4　子どものプールを知らない人が多いので、もっと知ってほしいからです。

52　さとうけんたさんは5万円、おくさんのゆみこさんは5千円を払いました。さとうさんたちは何をもらいますか。

1　ぼうし二つ
2　ぼうし二つと、けんたさんのネームプレート
3　ぼうし二つと、けんたさんのネームプレートと、5回のチケット
4　ぼうし二つと、けんたさんのネームプレートと、1年間のチケット

町に 子どものプールを！

この町には、おとなのプールしか ありません。
子どものために、小さいプールをつくりましょう！

町のお金だけでは、あまりいいプールができません。
みんなのお金で、もっとすてきなプールをつくりましょう。

お金を払ったら、以下のプレゼントがあります！

　(1) 5千円　：水泳用のぼうし

　(2) 1万円　：(1)と、ネームプレート

　　　　　　　　（プールの建物に、あなたの名前を飾ります）

　(3) 5万円　：(2)と、子どもプールのチケット

　　　　　　　　（5回、使えます）

　(4) 10万円　：(3)と、子どものプールのチケット

　　　　　　　　（一年、使えます）

　　　　　　　　　　　　※プールは3年後にできる予定です。

子どもプール委員会（電話：００××−××−××××）

☐ すてきな　　nice, pretty／漂亮的／멋진／tuyệt vời
☐ ネームプレート　　nameplate／姓名牌／이름표, 명찰／bảng tên
☐ チケット　　ticket／票／티켓／vé

もんだい 右のページの「カメラの使い方」を見て、下の質問に答えてください。答えは、1・2・3・4から、いちばんいいものを一つえらんでください。

(6)　　　　　　　　　　　　　　　　　　　　　　　　⌛ 5分でチャレンジ

53 アリナさんは、カメラの電源を入れたあと、ボタンを押すことができませんでした。アリナさんは、どうしたらいいですか。

1　新しい電池を入れます。
2　電池をとって、もう一度入れます。
3　カメラが冷たくなるまで待ちます。
4　カメラが温かくなるまで待ちます。

54 さとうさんのカメラから、変なにおいがします。さとうさんは、どうしたらいいですか。

1　においの原因をよく調べます。
2　カメラから電池をとります。
3　カメラを買った店に持って行きます。
4　サービスセンターに電話をかけます。

カメラの使い方

故障？と思ったときは

◆ 電池を入れても、電源が入らない
一回、電池をとって、もう一度入れてください。
電池が冷たいとき、動かない場合があります。

◆ 写真を撮ることができない
長い時間使ったとき、カメラが熱くて、ボタンが押せないことがあります。冷たくなるまで待ってください。

安全に使うために

◆ 電池は、火のそばに置かない
火事やけがの原因になります。

◆ ぬれた手でカメラを使わない
故障や、けがの原因になります。

◆ カメラから電池がとれない
電池を入れたまま、カメラを買った店に持って行ってください。

◆ 変な音が鳴ったり、においがしたりする
使うのをすぐにやめてください。店ではなく、サービスセンター（0120-00xx-xxxx）にご連絡ください。

☐ 電池　battery ／电池／전지, 건전지／ pin
☐ 電源　power supply ／电源, 动力／전원／ nguồn điện
☐ サービスセンター　customer services, service centre ／服务中心／서비스센터／ trung tâm dịch vụ

N4
N5 げんごちしき (ぶんぽう)・どっかい

にほんごのうりょくしけん かいとうようし (本試験のみほん)

じゅけんばんごう
Examinee Registration Number

なまえ
Name

〈ちゅうい Notes〉

1. くろいえんぴつ(HB、No.2)でかいてください。
   (ペンやボールペンではかかないでください。)
   Use a black medium soft (HB or No.2) pencil.
   (Do not use any kind of pen.)
2. かきなおすときは、けしゴムできれいにけして ください。
   Erase any unintended marks completely.
3. きたなくしたり、おったりしないでください。
   Do not soil or bend this sheet.
4. マークれい Marking examples

よいれい Correct Example	わるいれい Incorrect Examples
●	⊘ ⊙ ◯ ◐ ① ◍

	もんだい 1 ★ぶんぽう
1	① ② ③ ④
2	① ② ③ ④
3	① ② ③ ④
4	① ② ③ ④
5	① ② ③ ④
6	① ② ③ ④
7	① ② ③ ④
8	① ② ③ ④
9	① ② ③ ④
10	① ② ③ ④
11	① ② ③ ④
12	① ② ③ ④
13	① ② ③ ④
14	① ② ③ ④
15	① ② ③ ④

	もんだい 2 ★ぶんぽう
16	① ② ③ ④
17	① ② ③ ④
18	① ② ③ ④
19	① ② ③ ④
20	① ② ③ ④

	もんだい 3 ★ぶんぽう
21	① ② ③ ④
22	① ② ③ ④
23	① ② ③ ④
24	① ② ③ ④
25	① ② ③ ④

	もんだい 4 ★どっかい
26	① ② ③ ④
27	① ② ③ ④
28	① ② ③ ④
29	① ② ③ ④

	もんだい 5 ★どっかい
30	① ② ③ ④
31	① ② ③ ④
32	① ② ③ ④
33	① ② ③ ④

	もんだい 6 ★どっかい
34	① ② ③ ④
35	① ② ③ ④

PART 3

模擬試験
もぎしけん

Mock Examinations
模拟测试
모의고사
Kiểm tra mô phỏng thực tế

※2020年 第2回実施より「小問数（問題数の目安）」が変更になりました（p.7 参照）。変更後の問題数にする場合は、網かけの問題を除外してください。

The number of test items (the target number of questions) has changed as of the second test in 2020 (see p.7). For the number of questions after the change, please exclude the shaded questions.

从 2020 年第二次实施开始，"小问题数量（预估题数）"发生了变化(见 p.7)。如果您想使用新的问题数量，请排除阴影部分的问题。

2020 년 제 2 회 실시부터「문제의 기준」이 변경되었습니다 (7 페이지 참고). 변경 후의 문제 수로 할 경우에는 번호가 회색 칠이 된 문제를 제외 시켜 주십시오.

Từ lần thi thứ 2 năm 2020, đã có thay đổi về "số câu nhỏ (số bài tiêu chuẩn)" (xem trang 7). Nếu chọn số câu sau thay đổi, hãy bỏ những câu được bôi đậm.

第1回　模擬試験

the 1st Mock examinations／
第一次 模拟测试／제1회 모의고사／
Kiểm tra mô phỏng thực tế lần thứ nhất

もんだい1　つぎの(1)から(4)の文章を読んで、質問に答えてください。答えは、1・2・3・4から、いちばんいいものを一つえらんでください。

(1)

これは、日本語学校の貼り紙です。

注意！

最近、学校の中にどろぼうが入ってくるそうです。

さいふやお金など、大切なものはいつも持っていてください。昼休みやパソコン教室での授業のときも、教室に置かないで、自分で持っていてください。

さいふやお金がなくなった時は、先生に言ってください。

---

1 さいふやお金を、どうしたらいいと言っていますか。

1　教室に置いておきます。
2　先生のところに持って行きます。
3　自分で持っています。
4　学校に持って来ません。

(2)
　わたしの家のとなりに、女の人が住んでいます。その人は、黒いねこが好きではありません。「黒いねこを見ると悪いことが起こる」と思っています。わたしのねこは、せなかが黒くて、おなかが白いねこです。でも、となりの女の人は、黒いねこだと思っているので、わたしのねこがきらいです。

　わたしがねこといっしょに外にいるとき、その女の人に会いました。彼女はわたしにあいさつしませんでした。それで、わたしはねこを持ち上げて、おなかを彼女に見せました。彼女はねこのおなかを見て笑いました。彼女はわたしのねこが好きになりました。

[2] 女の人が笑ったのは、どうしてですか。

1　女の人を見て、ねこが笑ったからです。
2　ねこのおなかが白いことがわかったからです。
3　ねこのせなかが黒くないことがわかったからです。
4　女の人がねこを持ち上げたら、軽かったからです。

(3)
あいさんは、まゆこさんに手紙を送りました。

まゆこさん

お元気ですか。
　横浜から大阪に引っ越して、3か月たちました。わたしは、今、本屋で楽しく働いています。
　来月の9日、しごとで横浜に行きます。横浜駅の近くで、10日から12日まで、本屋の大きなイベントがあるんです。まゆこさんは本が好きですよね。このイベントにはいろいろな本屋が参加するので、おもしろいものがたくさん売られると思います。よかったら、見に来ませんか。とても楽しいと思いますよ。
　　　　　　　　　　　　　　　　　　　　　　　　あい

3 あいさんは、まゆこさんに何と言っていますか。

1　来月、自分が働いている大阪の本屋に、遊びに来てほしいです。
2　来月、横浜に行ったとき、仕事が終わったら、遊んでほしいです。
3　来月、横浜で本屋のイベントがあるので、それに来てほしいです。
4　来月、横浜のイベントでおもしろい本を売るので、それを買ってほしいです。

(4)
　「朝活」という言葉があります。これは、朝はやく起きて、学校や会社に行くまえの時間を、趣味や勉強、スポーツなどに使うことです。喫茶店で本を読んだり、勉強グループで勉強をしたりする人もいるし、ランニングをする人もいるらしいです。わたしも、朝活をしてみたいと思いましたが、何をやればいいかよくわかりません。今けがをしているからスポーツはできないし、わたしの趣味はねることだからです。

4 「わたし」は朝活についてどう思っていますか。

1　してみましたが、朝はやく起きるのは大変でした。
2　いっしょに朝活をする人がいないので、できないと思います。
3　してみたいけど、ねるのが好きだからできそうもないです。
4　いいかどうかわからないので、したくないです。

もんだい2 つぎの文章を読んで、質問に答えてください。答えは、1・2・3・4から、いちばんいいものを一つえらんでください。

　日本に来たばかりのころ、わたしは中華料理ばかり食べていました。中華料理のお店に行ったり、中華料理を作ったりして食べていました。中華料理は、たいてい煮たり焼いたりします。野菜もあまり生のまま食べません。日本料理はすしやさしみやサラダなど、生のまま食べるものしかないと思っていたので、<u>それ</u>では、体が冷えてしまうと思っていました。だから、一度も食べませんでした。

　でもある日、友だちのしょうこさんが、「おいしい日本料理の店を見つけました。いっしょに行きましょう。」と言いました。わたしは本当は行きたくなかったのですが、しょうこさんがわたしと行きたいと言うので、行くことにしました。まず、すしを食べました。魚は生でした。生の魚はくさいと思っていましたが、そのすしはぜんぜんくさくなくておいしかったです。それから、天ぷらや焼き鳥など、いろいろな料理を食べました。日本料理に火を使った料理はないと思っていたので、びっくりしました。そして、どれもとてもおいしかったです。わたしはそれから日本料理が好きになり、日本料理を作るようにもなりました。

5 それとはどんなことですか。

1 中華料理ばかり食べること
2 すしとさしみばかり食べること
3 生のままで食べないこと
4 生の食べ物だけを食べること

6 「わたし」はどうして日本料理のお店に行くことにしましたか。

1 おいしい日本料理を食べたくなったからです。
2 しょうこさんが中華料理を食べられないからです。
3 しょうこさんがいっしょに行きたがったからです。
4 日本料理を作れるようになりたかったからです。

7 「わたし」はどうしてびっくりしましたか。

1 日本料理に生ではない料理もあったからです。
2 日本料理が中華料理よりおいしかったからです。
3 すしの生の魚がくさかったからです。
4 日本料理に火を使った料理がなかったからです。

8 「わたし」について合っているのはどれですか。

1 まえは日本料理を食べてもおいしいと思わなかったですが、今は好きになりました。
2 まえは日本料理を食べませんでしたが、今は食べるようになりました。
3 まえは料理ができませんでしたが、今はできるようになりました。
4 まえは料理を作って食べましたが、今はお店で食べるようになりました。

もんだい3 右のページの「校外学習について」を見て、下の質問に答えてください。答えは、1・2・3・4から、いちばんいいものを一つえらんでください。

9 テツさんは、おくれそうです。10時20分ごろさくら駅に着きます。
　テツさんはどうしたらいいですか。

1　電話して、ほかの人にさくら駅で待ってもらいます。
2　電話はしないで、自分で博物館まで行きます。
3　電話して、自分で博物館まで行って、博物館で先生と会います。
4　電話はしないで、自分で博物館まで行って、自分で切符を買います。

10 お昼ごはんはどうしますか。

1　世界のいろいろな国のインスタントラーメンを食べます。
2　博物館のそばにあるレストランで食べます。
3　博物館でインスタントラーメンを買って食べます。
4　自分の作ったインスタントラーメンを食べます。

校外学習について

日時：3月7日（月）

場所：インスタントラーメン博物館

集合：10時　さくら駅　5番出口

　　※ 休む時、おくれそうな時は、学校に連絡する。(03-4545-4545)
　　※ 休むと一日欠席になる。
　　※ 10分以上おくれる場合は、自分で博物館まで行く。
　　※ 博物館のチケットは先生が持っているので、自分で買わない。

　　新宿駅からさくら駅まで：約1時間　片道600円ぐらい

お昼ごはんは博物館の中で食べます。

自分でインスタントラーメンを作ってみましょう。

世界で一つだけのインスタントラーメンがお昼ごはんです。

第2回　模擬試験

the 2nd Mock examinations／
第二次 模拟测试／제2회 모의고사／
Kiểm tra mô phỏng thực tế lần thứ hai

もんだい1　つぎの(1)から(4)のの文章を読んで、質問に答えてください。答えは、1・2・3・4から、いちばんいいものを一つえらんでください。

(1)
お店の入口にお知らせが貼ってありました。

お客様

いつも　ありがとうございます。

きのう（5月2日）、事故にあって、けがをしてしまいました。急に車が出て来て、自転車から落ちました。
腕が痛くて、まだ動きません。申し訳ありませんが、今日（5月3日）は、料理ができそうもありません。腕が治ったら、店を開きます。

レストラン「ポン・ヌフ」店主

---

1 このお知らせには、どんなことが書かれていますか。

1　店主がけがをしたので、今日は、レストランは休みです。
2　大きなけがをしたので、店主は、レストランをやめました。
3　お店の前で事故があったので、今日は、レストランは休みです。
4　お店の車が事故にあったので、今日は、レストランは休みです。

(2)
　わたしの家の近くに、サッカーのスタジアムがあります。試合があるときは、たいてい、見に行きます。
　このまえ、中学のときに同じクラスだった坂井くんが、スタジアムにいました。彼もサッカーが好きで、ときどき見に来るそうです。卒業してから20年くらいたちますが、あまり変わっていなかったので、坂井くんだとわかりました。試合には、いつも、5千人くらい見に来ます。人がたくさんいても、坂井くんを見つけられたので、うれしかったです。それから、2人でサッカーを見るようになりました。

2　「わたし」は、どうしてうれしかったのですか。

1　試合に、人が5千人も見に来ていたからです。
2　人がたくさんいたのに、友だちの顔がわかったからです。
3　友だちが、スタジアムへわたしに会いに来てくれたからです。
4　友だちと、またいっしょにサッカーをするようになったからです。

(3)
ルームメートのアルさんからのメモです。

なおきさん

3日間、ねこのミーの世話をお願いします。
えさは、朝8時ごろと夕方6時ごろあげてください。
お水は、なくなっていたらたしてください。なくなっていなくても、毎日かえてください。
トイレ用の砂は、きたないところをとって、砂をたしてください。
わたしがいないとさびしがると思うので、遊んであげてください。
おねがいします。
では、行ってきます！

3 まちがっているのは、どれですか。

1 えさは1日2回あげるだけでいいです。
2 水はなくなるまでかえなくていいです。
3 トイレをきれいにしなくてはいけません。
4 ミーと遊んであげたほうがいいです。

(4)
　わたしは、ときどきスポーツをしますが、あまり好きではありません。でも、よく山登りの本を読みます。山の本には、地図がたくさんあります。この地図を読むのがとても好きです。それから、花や景色の写真もありますから、見るだけでも楽しいです。それなら旅行の本のほうがいいと言う人もいますが、わたしは、山の本のほうが便利だと思います。けがをしたときの説明や、簡単な料理の作り方も書いてあるからです。山登りをしないわたしですが、おもしろいと思います。

4　「わたし」は何が好きですか。

1　山登り
2　旅行
3　スポーツ
4　山の本

もんだい2 つぎの文章を読んで、質問に答えてください。答えは、1・2・3・4から、いちばんいいものを一つえらんでください。

　ある日、わたしがひとりでレストランでごはんを食べていると、となりに座っている人が話しかけてきました。その人はわたしに「服をどこで買っていますか」ときいたので、わたしは、自分が好きな店をいくつか教えました。

　どうして、はじめて会った人に、そんなことをきいたのでしょう。その人は、病気で薬を飲み始めてから太ってしまったと言いました。今までの服が着られなくなったので、困っていたのだそうです。わたしを見て、自分と同じサイズではないかと思ったそうです。

　それを聞いて、わたしは少し悲しくなりました。わたしは太って見えるのでしょうか。残念です。でも、その人は、「あなたはセンスがいいですね。」とほめてくれました。わたしがすてきな服を着ているので、どの店か知りたかったと言いました。わたしは気分がよくなりました。

　わたしは、「インターネットでも服を買うことができますよ。」と言いました。その人は、「どうやればいいですか」ときくので、わたしは、それを説明してあげました。パソコンやスマートフォンを見ながら説明したのではないから、その人がほんとうにわかったかどうか、ちょっと心配です。

5 となりに座っている人は、どうして困っていましたか。

1 太ってしまって、友だちをつくりにくくなったからです。
2 太ってしまって、好きな服が変わったからです。
3 太ってしまって、家にある服が着られなくなったからです。
4 太ってしまって、自分のサイズがわからなくなったからです。

6 どうしてわたしは少し悲しくなりましたか。

1 自分が太っていると思われたからです。
2 自分がなんでも教える人に見られたからです。
3 自分の服のサイズが大きすぎると言われたからです。
4 自分が好きな店をきらいだと言われたからです。

7 となりに座っている人は、どうしてわたしが服を買う店を知りたがりましたか。

1 わたしが親切な人だと思ったからです。
2 わたしが着ている服をいいと思ったからです。
3 わたしがたくさん店を知っていると思ったからです。
4 わたしが太っていることを気にしていないからです。

8 わたしは、好きな店のほかに、となりに座っている人に、何を教えましたか。

1 パソコンとスマートフォンの使い方
2 細く見えるような服の着方
3 センスのいい服のえらび方
4 インターネットでの買い物のしかた

もんだい3　右のページの案内を見て、下の質問に答えてください。答えは、1・2・3・4から、いちばんいいものを一つえらんでください。

9　図書館は、この案内をどんな人に見てほしいですか。

　　1　人気が出る小説を書きたい人
　　2　おもしろい本を探している人
　　3　映画になった本を読みたい人
　　4　本を読みたくない人

10　いろいろな国へ行ってみたい人は、どの本を借りればいいですか。

　　1　「月への旅行」
　　2　「地図にない町」
　　3　「北へ南へ」
　　4　「楽しい木曜日」

おもしろい本を読みたいけれども、どんな本を借りたらいいかわからなくて、困っていませんか。
先月、この図書館でよく借りられた本を紹介します。

「月への旅行」
一年、月に住みませんか？ ほんとうのような、うその話。この話は来年、映画になります。

「地図にない町」
人気作家、山本あきらの一番新しい小説です。800年前のフランスの話です。歴史が好きな人は読んでください。

「北へ南へ」
世界の美しいホテルやおいしいレストランがたくさん紹介されています。旅行が好きな人は読みましょう。

「楽しい木曜日」
映画「楽しい木曜日」が小説になりました。映画にはない話も書いてあります。映画を見たあとで読んだらおもしろいですよ。

読みたい本は見つかりましたか？

南町図書館

解答用紙（実戦練習）

短文

1	①	②	③	④
2	①	②	③	④
3	①	②	③	④
4	①	②	③	④
5	①	②	③	④
6	①	②	③	④
7	①	②	③	④
8	①	②	③	④
9	①	②	③	④
10	①	②	③	④
11	①	②	③	④
12	①	②	③	④
13	①	②	③	④
14	①	②	③	④
15	①	②	③	④
16	①	②	③	④
17	①	②	③	④
18	①	②	③	④
19	①	②	③	④
20	①	②	③	④
21	①	②	③	④
22	①	②	③	④
23	①	②	③	④
24	①	②	③	④

中文

25	①	②	③	④
26	①	②	③	④
27	①	②	③	④
28	①	②	③	④
29	①	②	③	④
30	①	②	③	④
31	①	②	③	④
32	①	②	③	④
33	①	②	③	④
34	①	②	③	④
35	①	②	③	④
36	①	②	③	④
37	①	②	③	④
38	①	②	③	④
39	①	②	③	④
40	①	②	③	④
41	①	②	③	④
42	①	②	③	④

情報検索

43	①	②	③	④
44	①	②	③	④
45	①	②	③	④
46	①	②	③	④
47	①	②	③	④
48	①	②	③	④
49	①	②	③	④
50	①	②	③	④
51	①	②	③	④
52	①	②	③	④
53	①	②	③	④
54	①	②	③	④

解答用紙（模擬試験）

Answer sheet (Mock examinations) ／
卷子、试卷（模拟测试）／답안지 (모의고사)／
Giấy ghi câu trả lời（Kiểm tra mô phỏng thực tế）

第1回

もんだい 1

1	①	②	③	④
2	①	②	③	④
3	①	②	③	④
4	①	②	③	④

もんだい 2

5	①	②	③	④
6	①	②	③	④
7	①	②	③	④
8	①	②	③	④

もんだい 3

9	①	②	③	④
10	①	②	③	④

第2回

もんだい 1

1	①	②	③	④
2	①	②	③	④
3	①	②	③	④
4	①	②	③	④

もんだい 2

5	①	②	③	④
6	①	②	③	④
7	①	②	③	④
8	①	②	③	④

もんだい 3

9	①	②	③	④
10	①	②	③	④

●著者

桑原　里奈（くわはら　りな）
文化外国語専門学校専任講師
著書に『日本語能力試験問題集 N5 文法スピードマスター』『日本語能力試験問題集 N4 文法スピードマスター』『日本語能力試験問題集 N2 読解スピードマスター』（以上、Jリサーチ出版）

木林　理恵（きばやし　りえ）
敬和学園大学人文学部日本語契約講師
著書に『日本語能力試験問題集 N2 読解スピードマスター』（Jリサーチ出版）

DTP・本文レイアウト　オッコの木スタジオ
カバーデザイン　滝デザイン事務所
イラスト　杉本千恵美／山田淳子／白須道子
翻訳　Caroline Quail Kuroda／Shoko Alberding／王雪／司馬黎／崔明淑／宋貴淑／近藤美佳／Duong Thi Hoa

本書へのご意見・ご感想は下記URLまでお寄せください。
https://www.jresearch.co.jp/kansou/

日本語能力試験問題集　N４読解スピードマスター

平成28年（2016年）5月10日　初版　第1刷発行
令和7年（2025年）6月10日　　　第6刷発行

著者　桑原里奈／木林理恵
発行人　福田富与
発行所　有限会社　Jリサーチ出版
〒166-0002　東京都杉並区高円寺北2-29-14-705
電話　03(6808)8801（代）　FAX 03(5364)5310
編集部　03(6808)8806
https://www.jresearch.co.jp
印刷所　（株）シナノ パブリッシング プレス

ISBN 978-4-86392- 279-2
禁無断転載。なお、乱丁、落丁はお取り替えいたします。
©2016 Rina Kuwahara, Rie Kibayashi　All rights reserved.
Printed in Japan

日本語能力試験問題集
N4読解スピードマスター

解答と解説

Answer and Explanation
答案与解说
해답과 해설
Đáp án và giải thích

PART 1 ウォーミングアップ

1 文章を読む基本練習

ふくしゅう 1
① a →冬
　b →寒くて長い冬
② a →わたし
　b → 妹
　c →わたし
③ a →わたし
　b →友だち
　c → 3か月

ふくしゅう 2
①「かみを洗います」「かみを切ります」
②「泣く」「声を出す」
③「人が多いから」「空気が悪いから」

ふくしゅう 3
① a
② a
③ c

ふくしゅう 4
① c　b
② b　b
③ a　c　a

ふくしゅう 5
① a
② c
③ b
④ b

PART 2 実戦練習

短文

（1）

1 正解：2

「みかんはわたしの国のほど高くありません。」だから、日本のみかんはわたしの国のみかんより安いです。

"Mandarin oranges are not as expensive as they are in my country." So mandarin oranges in Japan are cheaper than mandarin oranges in my country.
「桔子没有我们国家的桔子贵。」所以，日本的桔子比我们国家的桔子便宜。
「귤은 우리 나라만큼 비싸지 않습니다．」그러니까 일본의 귤은 우리 나라 귤보다 쌉니다．
「Quả cam thì không đắt tiền bằng nước tôi．」Vì vậy quả cam Nhật Bản rẻ hơn quả cam nước tôi．

（2）

2 正解：2

「まどは会議が始まるまで開けたままにしてください。」

"Please keep the windows open until the meeting starts."
「窗户在会议开始之前都请开着。」
「창은 회의가 시작되기까지 연 채로 두세요．」
「Hãy cứ để cửa sổ mở cho đến khi cuộc họp bắt đầu．」

「一人に一つパソコンを机の上に置いておいてください。」

"Please put one laptop for each person on the desk."
「请在每个人坐的座位前面放一台手提电脑。」
「한 사람에 하나씩 컴퓨터를 책상 위에 놓아주세요．」
「Hãy đặt mỗi người một chiếc máy tính lên bàn．」

（3）

3 正解：2

「この時代、政府は国民に、あまりお金を使ってほしくありませんでした。」

政府は、国民の不満が出ないように、あまりお金がかからない遊びを考え出しました。」

"In this era, the government did not want the citizens to spend much money." So that the citizens would not become dissastisfied, the government came up with entertainments that didn't cost much money.
「这个时代，政府不太希望国民用钱。」政府为了不让国民有不满，想出了不太花钱的娱乐。
「이 시대 정부는 국민에게 별로 돈을 사용하기를 바라지 않았습니다.」 정부는 국민의 불만이 나오지 않도록 별로 돈이 들지 않는 놀이를 생각해 냈습니다.
「Thời bấy giờ chính phủ không muốn người dân sử dùng nhiều tiền mấy.」 Để người dân không bất mãn, chính phủ nghĩ ra một trò chơi mà không cần tốn nhiều tiền.

(4)

4 正解：3

Q「20世紀のはじめ、ある神社の人がキリスト教の結婚式を見て、『神社でも、あのような結婚式を行ったらいい』と考えて、神社での結婚式を始めたと言われている。」

"At the beginning of the 20th century, somebody working for a certain shrine saw a Christian wedding and thought, 'We should hold weddings like that even at shrines.' and it is said that that is why shrines started to hold weddings."
「20 世纪初，某个神社的人看到基督教的结婚典礼，就想『要是在神社也能举行结婚典礼就好了』，于是，据说在神社举行结婚典礼的习惯就开始了。」
「20 세기 초 어느 신사의 사람이 기독교의 결혼식을 보고 『신사에서도 저런 결혼식을 하면 좋겠다』라고 생각하고 신사에서 결혼식을 시작했다고 합니다.」
「Vào đầu thế kỷ 20, có một người trong đền xem lễ cưới của những người theo đạo Thiên Chúa và nghĩ rằng 『đền cũng nên tổ chức lễ cưới như thế』và bắt đầu tổ chức lễ cưới tại đền.」

(5)

5 正解：3

Q「天気が悪くなると、頭が痛くなったり、具合が悪くなったりするのは、自分の気持ちが暗くなったからだと思っていました。」

"I thought that my getting headaches and getting ill when the weather was bad was because I was feeling gloomy."
「我觉得天气不好就头疼或身体不舒服都是因为自己的心情沉闷的原因。」
「날씨가 나빠지면 머리가 아파지거나 컨디션이 나빠지거나 하는 것은 자기 기분이 어두워졌기 때문이라고 생각했습니다.」
「Tôi cứ nghĩ rằng tôi bị đau đầu hay bị khó chịu khi thời tiết xấu là do tâm trạng mình trầm xuống.」

(6)

6 正解：2

Q「ナスを揚げている間に、ボウルにしょうゆと酢を入れて『つゆ』を作りましょう。ナスが熱いうちに、この『つゆ』に入れます。」

"While the eggplants are frying, put soy sauce and vinegar in a bowl and make 'tsuyu' broth. While the eggplants are still hot, put them into this 'tsuyu'."
「在炸茄子期间，在盆里倒入酱油和醋，做『佐料汁』吧。趁茄子热的时候，倒入『佐料汁』。」
「가지를 튀기고 있는 동안에 그릇에 간장과 식초를 넣어『소스』를 만듭시다. 가지가 뜨거울 때 이『소스』에 넣습니다」
「Trong khi chiên cà tím, hãy cho nước tương và giấm vào tô làm 『nước sốt』. Trong khi cà tím còn nóng, cho vào 『nước sốt』 này.」

(7)

7 正解：2

Q「英語教育を勉強するために、イギリスに行きました。」

"He went to the UK to study English language education."
「为了学习英语教育，去了英国。」
「영어 교육을 공부하기 위해 영국에 갔습니다.」
「Đã đi nước Anh để học giáo dục tiếng Anh.」

(8)

8 正解：3

Q「温泉に入りに行って、部屋に戻ったら、床にふとんがしいてありました。温泉に入っているうちに旅館の人が用意してくれたのです。」

"We went to take a hot spring bath, and when we got back to our room, our futons had been laid out

on the floor. While we were in the hot spring bath, somebody from the inn had got our futons ready for us."
「泡完温泉，回到房间，榻榻米上已经铺好了被子。这是泡温泉的时候，日本旅馆的人给准备好的。」
「온천에 들어갔다 방에 돌아오니 바닥에 이불이 깔려 있었습니다. 온천에 들어간 사이에 여관 사람들이 준비해 준 것입니다.」
「Đi tắm suối nước nóng rồi quay về phòng thì thấy chăn được trải trên sàn sẵn. Trong khi chúng tôi đi tắm, nhân viên nhà trọ đã chuẩn bị cho.」

(9)

9 正解：3

⚲「話し方：少しはやかったです。」
"Your way of speaking: You spoke a little too fast."
「说话方式：有些快。」
「화법：조금은 빨랐습니다.」
「Cách nói: Bạn nói hơi nhanh.」

「メモを見ないほうがいいです。」
"You shouldn't look at your notes."
「不要看纸上的草稿比较好。」
「메모를 보지 않는 쪽이 좋습니다.」
「Không nên xem giấy ghi chép.」

(10)

10 正解：1

友だちに質問されたときは、「自分」の意味は「わたし」だと思っていたので、友だちの質問の意味がわかりませんでした。
When I was asked a question by my friend, I thought 'jibun' meant 'I', so I didn't understand the meaning of my friend's question.
被朋友问到的时候，还以为「自己」是「我」的意思，不太清楚朋友问题的意思。
친구에서 질문을 받았을 때는「자기」의 의미는「나」라고 생각했기 때문에 친구의 질문의 의미를 몰랐습니다.
Khi bạn hỏi câu hỏi, tôi nghĩ rằng từ「bản thân mình」mang ý nghĩa là「tôi」, nên không hiểu ý của câu hỏi bạn đó.

(11)

11 正解：1

最初に「眠れない原因」と書いてあります。そのあとも、眠れない場合の例が挙げられています。
At the beginning, "the causes of insomnia" are written about. After that, too, some examples of cases of insomnia are given.
最初写着「失眠的原因」。这之后，可以举出睡不着觉的例子。
처음에「잠들지 못하는 원인」이라고 쓰여 있습니다. 그다음도 잠들지 못하는 경우의 예를 들고 있습니다.
Đoạn đầu ghi là「lí do không ngủ được」. Sau đó cũng có phần liệt kê những trường hợp không ngủ được.

(12)

12 正解：2

⚲「わたしはもう慣れましたが、朝はやく起きて準備しなければならないお客さんはたいへんだといつも思います。」
"I have got used to it now, but I always think that it's hard for the customers who have to get up early and get ready."
「我已经习惯了，总是在想，早起准备出发的客人才挺累啊。」
「저는 이미 익숙해졌습니다만 아침 일찍 일어나 준비하지 않으면 안 되는 손님은 힘들겠다고 항상 생각합니다.」
「Tôi thì đã quen rồi, nhưng tôi nghĩ rằng đối với người khách phải dậy sớm chuẩn bị thì chắc vất vả lắm.」

(13)

13 正解：4

⚲「ときどきかわいた布などでふいて、よごれをおとしてください。」
"From time to time, remove the dirt with a dry cloth or something."
「时不时用干布擦一下，去除掉污渍。」
「가끔 마른 천 등으로 닦아 더러움을 없애 주세요.」
「Hãy thỉnh thoảng lau bằng vải khô để quét vết bẩn.」

(14)

14 正解：4

図書館は、「日本十進分類法」を使って本を並べます。本屋は、買う人が本を探しやすいように並べます。
Libraries use the 'Japanese Decimal Classification System' for displaying their books. Bookshops display them to make it easy for customers (people who buy) to look for books.
图书馆使用「日本十进分类法」来排列整理书籍。书店是为方便购书的读者而排列整理书籍的。
도서관은「일본 십진분류법」을 사용해 책을 진열합니다. 책방은 사는 사람이 책을 찾기 쉽게 진열합니다.
Thư viện áp dụng「phương pháp phân loại thập tiến Nhật Bản」

để sắp xếp sách. Còn hiệu sách thì sắp xếp để người mua thuận tiện tìm sách.

(15)

15 正解：2

「新しい酒ができると、入り口に『杉玉』というものを飾ります。」

"When a new sake is made, they place a decoration called a 'sugidama' (a ball made from cedar leaves) by the entrance."
「有新酒进来，就会在门口装饰上『杉玉』。」
「새 술이 만들어지면 입구에『스기다마 (삼나무 가지로 만든 둥근 공 같은 것)』라는 것을 장식합니다 .」
Khi nào làm xong rượu mới, trang trí một thứ gọi là『bóng lá liễu sam』.

「これを飾って、周りの人に、新しい酒ができたことを伝えます。」

"By displaying this, they inform local people that a new sake has been made."
「装饰上这个，意思就是跟周围的人说有新酒上市了。」
「이것을 장식해서 주위 사람에게 새 술이 만들어진 것을 전달합니다 .」
Trang trí cái này cho người dân xung quanh biết rằng có rượu mới làm.

(16)

16 正解：4

「店員は『大村とおるさんの小説ですか。来週、大村さんに会いますよ。サインをもらってきましょうか。』とわたしに言いました。」

"The shop clerk said to me, 'Is it Mr Toru Ohmura's novel? I will meet Ohmura-san next week. Shall I get his autograph?'"
「店员对我说，『大村通先生的小说吗？下周我要去见大村先生，我帮你拿个签名怎么样？』」
「점원은『오무라토오루 씨의 소설입니까 ? 다음 주 기무라 씨와 만납니다 . 사인을 받아 올까요 ?』라고 나에게 말했습니다 .」
Nhân viên nói với tôi rằng「Tiểu thuyết của ông Omura Toru à? Tuần sau tôi sẽ gặp ông Omura. Tôi xin chữ ký cho bạn nhé.」

(17)

17 正解：4

「タイでは、ほとんどのレストランが日本ほど高くないです。ぜひ、行ってみてください。」

"In Thailand, most restaurants are not so expensive as those in Japan. You really should go."
「泰国几乎所有的餐厅卖的东西都没日本的贵。你一定试试。」
「타이에서는 거의 모든 레스토랑이 일본만큼 비싸지 않습니다 . 꼭 가 보세요 .」
Ở Thái Lan, hầu hết tất cả nhà hàng không đắt tiền như Nhật Bản. Hãy nhất định đi thử.

「屋台の食べ物も、安くておいしいですから、ためしてください。」

"Food at street stalls is cheap and delicious, so please try it."
「流动小吃摊的小吃又便宜又好吃。尝尝就知道。」
「포장마차의 음식도 싸고 맛있으니까 드셔 보세요 .」
Món ăn của xe bán hàng rong cũng vừa rẻ vừa ngon, nên hãy thử đi.

「タイ料理の作り方を教えてくれる教室に行ったらどうでしょうか。」

"Why don't you go to a school where they will teach you how to make Thai food?"
「去泰国料理教室学一下做泰国菜怎么样？」
「타이 요리의 만드는 법을 가르쳐주는 교실에 가면 어때요 ?」
Hãy đi thử lớp học dạy nấu món ăn Thái Lan đi.

(18)

18 正解：4

「400 でわれる年は、100 でもわれますが、うるう年になります。」

"A year that is divisible by 400 is a leap year even though it is also divisible by 100."
「能被 400 整除，也能被 100 整除的年份，就是闰年。」
「400 으로 나눌 수 있는 해는 100 으로도 나눌 수 있습니다만 윤년이 됩니다 .」
Năm có số thứ tự chia hết cho 400, mặc dù đó cũng là năm có số thứ tự chia hết cho 100, là năm nhuận.

(19)

19 正解：2

「このような人は、若いときは忙しくて勉強できなかった人です。」

"These people are those who were too busy to study when they were young."
「这样的人是年轻时很忙，没能学习的人。」
「이러한 사람은 젊었을 때는 바빠서 공부를 할 수 없었던 사람입니다 .」
Người như thế này là người lúc trẻ bận rộn không học được.

(20)

20 正解：2

🗣「2か月前に元の値段で買ったかばんも8割引で売っていました。」

"The bag I bought 2 months ago at its orginal price was on sale at 80% off, too."
「两个月前，原价买的现在打两折。」
「2 달 전에 원래 가격으로 산 가방도 80% 할인으로 팔고 있었습니다 .」
「Cái túi mà 2 tháng trước tôi mua với giá nguyên cũng được bán với giá giảm 80 %.」

(21)

21 正解：3

🗣「無洗米は、機械でこの『ぬか』をとった米」

"pre-washed rice is rice that has had the bran residue removed by machine"
「免洗米是用这种机器除去糠皮的米」
「무세미는 기계로 이 쌀겨를 제거한 쌀」
「gạo không cần vo là loại gạo đã khử cám bằng máy móc」

(22)

22 正解：2

カラスがぬすんだのは、ハンガーです。だから、「それ」がさすのはハンガーです。

The thing the crow stole was a hanger. Therefore, "sore" refers to the hanger.
乌鸦偷的是衣架。所以，「那个」指的是衣架。
까마귀가 훔친 것은 옷걸이입니다 . 그러므로「그것」이 가리키는 것은 옷걸이입니다 .
Cái con quạ ăn trộm là cái móc quần áo. Vì vậy「cái đó」chỉ cái móc quần áo.

(23)

23 正解：2

🗣「ひっこすとき荷物が少なくてべんりです。わたしはよくひっこすのでシェアアパートに住んでいます。でも、いつも一人でいたいので、台所やリビングルームにはあまり行きません。」

"When you move house, it's convenient to not have much stuff. I often move house, so I live in a shared apartment. But I always want to be by myself, so I don't go to the kitchen or living room much."
「搬家的时候行李少真是方便。我经常搬家，所以住分租公寓。但是，总想一人待着，所以不太去厨房和客厅。」
「이사할 때 짐이 적어서 편리합니다 . 저는 자주 이사하기 때문에 쉐어하우스에 살고 있습니다 . 하지만 항상 혼자 있고 싶어서 부엌이나 거실에는 별로 가지 않습니다 .」
「Rất tiện khi chuyển nhà vì chỉ có ít đồ. Tôi hay chuyển nhà nên sống tại chung cư sống chung. Nhưng tôi thường thích ở một mình, vì vậy không ra bếp hoặc phòng khách mấy.」

(24)

24 正解：2

2段落目に、店と家庭で、どうすれば食品ロスを減らせるか書いてあります。

The second paragraph is about how you can reduce food waste at restaurants and at home.
第二段中写着在店铺和家里怎样才能减少食品浪费。
2 단락 째에 가게와 가정에서 어떻게 하면 식품의 손실을 줄일 수 있을지가 쓰여 있습니다 .
Đoạn thứ 2 giải thích làm thế nào để giảm số lượng bãi bỏ thực phẩm ở cửa hàng và ở nhà.

中文

(1)

25 正解：1

🗣「10月10日も晴れやすいですが、10月15日のほうが、もっと晴れやすいそうです。」→いちばん晴れやすい日ではありません。

"October 10th is likely to be sunny, but it seems October 15th is more likely to be sunny." → It is not the day most likely to be sunny.
「听说 10 月 10 号容易晴，但 10 月 15 号更容易天晴。」→不是最容易天晴的日子。
「10 월 10 일도 맑을 가능성이 높지만 10 월 15 일이 더 맑을 가능성이 높다고 합니다 .」→가장 맑을 가능성이 높은 날은 아닙니다 .
「Trời hay nắng đẹp vào ngày 10 tháng 10 nhưng nghe nói là ngày 15 tháng 10 trời thường nắng đẹp hơn.」→ Không phải là ngày trời thường nắng đẹp nhất.

26 正解：2

🔑「10月10日は土曜日でした。休みの日なので、たくさんの人がテレビでオリンピックを見ることができます。」

"October 10th was a Saturday. It was a holiday, so a lot of people were able to watch the Olympics on television."
「已经过去了的10月10日是星期六。因为是假日，很多人都能在电视前坐着看奥林匹克运动会。」
「10월 10일은 토요일이었습니다. 쉬는 날이어서 많은 사람이 텔레비전으로 올림픽을 볼 수가 있었습니다.」
「Ngày 10 tháng 10 rơi vào ngày thứ 7. Vì là ngày nghỉ, cho nên có nhiều người có thể xem Thế vận hội trên ti vi.」

（2）

27 正解：4

🔑「わたしたち1年生だけで楽しく練習できる時間は特別でした。この特別な時間のために、はやく起きるのが大変でも、毎朝行きました。」

"It was special for us first year students to have time to enjoy practice by ourselves. For this special time, even though it was difficult to get up early, I went every morning."
「只有我们一年级学生在一起练习的时间最难得。为了这个特别难得的时间，起早虽然有些累，但每天早上都会坚持。」
「우리들 1학년 만으로 즐겁게 연습할 수 있는 시간은 특별했습니다. 이 특별한 시간을 위해 빨리 일어나는 것이 힘들어도 매일 아침 갔습니다.」
「Khoảng thời gian chỉ có học sinh lớp 10 cùng vui vẻ luyện tập rất đặc biệt. Vì khoảng thời gian đặc biệt này, sáng nào tôi cũng đi dù dậy sớm vất vả.」

28 正解：3

🔑「授業のまえに、みんなで朝ごはんのおべんとうを食べました。練習でつかれたあとのおべんとうは、とてもおいしかったです。」

"Before lessons started, we all ate our boxes of food for breakfast together. The boxes of food tasted really good when we were tired after practice."
「上课之前大家都吃了早饭。练习累了吃的便当非常美味。」
「수업 전에 모두 아침밥인 도시락을 먹었습니다. 연습으로 피곤해 있을 때 먹은 도시락은 무척 맛있었습니다.」
「Trước giờ học, mọi người cùng ăn cơm hộp cho bữa sáng. Sau khi luyện tập mệt mỏi, ăn cơm hộp thấy rất ngon.」

29 正解：1

🔑「練習や練習試合をたくさんしたのに、わたしたちは強いチームになれませんでした。」

"Although we did things like practising a lot and playing many practice matches, we couldn't become a strong team."
「虽然进行了很多练习或练习比赛，但还是没能成为强队。」
「연습과 시합 연습을 많이 했는데도 우리들은 강한 팀이 될 수 없었습니다.」
「Mặc dù luyện tập và đấu tập thật nhiều nhưng chúng tôi không thể trở thành đội mạnh.」

（3）

30 正解：3

🔑「バリィさんは、今治市のいい点を宣伝するためにつくられました。」

"Barysan has been created to publicise the good points of Imabari Town."
「小治是为宣传今治市而制作出来的。」
「바리상은 이마바리시의 좋은 점을 선전하기 위해 만들어졌습니다.」
「Bari-san được tạo ra để quảng cáo những điểm tốt đẹp của thành phố Imabari.」

31 正解：2

🔑「ほとんどの人が『かわいい』と思う顔や形ですから、みんなに愛されています。」

"They have faces and shapes that most people think are 'cute', so they are loved by everybody."
「它长着让人觉得『可爱』的长相和体型，所以大家都很喜欢它。」
「거의 모든 사람이 『귀엽다』고 생각하는 얼굴이나 모습이어서 모두에게 사랑받고 있습니다.」
「Nó có gương mặt và hình dáng mà hầu hết mọi người nghĩ 『dễ thương』, vì vậy được mọi người ưa chuộng.」

32 正解：1

🔑「町にお金が入るでしょう。」

"The town is likely to make money."
「城里会有资金进入吧。」
「시에 돈이 들어올 것입니다.」
「Tiền sẽ vào thành phố.」

(4)

33 正解：4
「大家さんに部屋のかぎを開けてもらった」
"She got the landlord to open the door of my apartment."
「请房东打开了房门。」
「집주인이 방의 열쇠를 열어 주었다．」
「Nhờ chủ nhà mở khoá phòng.」

34 正解：3
「母は日本のアイドルのコンサートを見たくて、日本に来たそうだ。」
"My mother said that she came to Japan because she wanted to see a pop idol's concert."
「听说妈妈是想看日本偶像的演唱会，来的日本。」
「엄마는 일본 아이돌의 콘서트를 보고 싶어 일본에 왔다고 한다．」
「Mẹ tôi nói rằng đã sang Nhật vì muốn xem buổi hoà nhạc của thần tượng Nhật Bản.」

35 正解：2
「今年50才になる母は、21才のアイドルのファンだ。」
"My mother, who's going to be 50 this year, is a fan of a 21-year-old pop idol."
「今年要满50岁的妈妈，是21岁偶像的粉丝。」
「올해 50 살이 된 어머니는 21 살의 아이돌의 팬이다．」
「Mẹ tôi, năm nay 50 tuổi, là người hâm mộ của thần tượng 21 tuổi.」

「若い女の子のような格好で出かけて行った。」
"She went out looking like a young girl."
「穿得像年轻女孩一样地出门了。」
「젊은 여자와 같은 차림으로 외출했다．」
「Ăn mặc kiểu giống cô gái trẻ mà đi.」

「母は高校生のようだ。」
"My mother is like a high school student."
「妈妈像高中生一样。」
「엄마는 고등학생 같다．」
「Mẹ tôi giống như học sinh cấp 3.」

(5)

36 正解：2
「10年くらいまえに、会社で会った友だちです。」
"She is a friend I met in my company about 10 years ago."
「这是10年前公司的朋友。」
「10년전쯤에 전에 회사에서 만난 친구 들입니다．」
「Là bạn đã gặp ở công ty khoảng 10 năm trước.」

「わたしは今、その会社をやめてほかの会社で働いている」
"I left that company and now I'm working for another company."
「我现在辞掉了这家公司，在别的公司上班。」
「나는 지금 회사를 그만두고 다른 회사에서 일하고 있다．」
「Tôi bây giờ đã nghỉ công ty đó và đang làm việc ở công ty khác.」

37 正解：3
恵美さん以外はみんなそのときびっくりしたので、言ったのは恵美さんです。
社長がくさかったときなので、言われたのは社長です。
Everybody except Emi was astonished at that time, so it was Emi that said it. It was when the company president smelled bad, so it was the company president who was told.
除了惠美，当时大家都吓了一跳，说话人是惠美。因为社长处于不受欢迎的时期，这被说的是社长。
에미 씨외에는 그 때 모두 놀랐기 때문에 말한 것은 에미 씨입니다．사장님이 냄새가 났을 때이니까 말을 들은 것은 사장님입니다．
Tất cả mọi người, ngoài trừ cô Emi, đều ngạc nhiên, cho nên người nói là cô Emi. Đó là khi giám đốc hôi thối, cho nên người bị nói là giám đốc.

38 正解：4
「自分を大切にする恵美さんは、ほかの人も大切にします。だから、みんなが恵美さんを好きなんだと思います。わたしもその一人です。」
"Emi, who values (respects) herself, also values (respects) other people. That's why everybody likes Emi, I think. I'm one of them, too."
「珍惜自己的惠美也很珍惜别人。所以，大家都很喜欢惠美。我也是喜欢她的其中一人。」
「자기를 소중히 생각하는 에미 씨는 다른 사람도 소중하게 생각합니다．그래서 모두 에미 씨를 좋아하는 것 같습니다．저도 그중의 한 사람입니다．」
「Cô Emi là một người quý trọng bản thân và có thể quý trọng cả người khác. Vì vậy mọi người rất thích cô Emi. Tôi cũng là

một trong những người đó.」

(6)

39 正解：2

❓「温泉が好きな人は、一日で両方の温泉に行きたいかもしれません。」

"People who like hot springs may want to go to both hot springs in one day."
「喜欢温泉的人可能会想一天欣赏两处温泉。」
「온천을 좋아하는 사람은 하루에 양쪽 온천에 다 가고 싶을지도 모르겠습니다.」
「Ai thích tắm suối nước nóng có lẽ muốn thưởng thức cả hai suối nước nóng trong một ngày.」

40 正解：2

❓「湖の周りの木の葉が赤や黄色になり、美しい紅葉を見ることができます。」

"The leaves on the trees around the lake become red and yellow so you can see beautiful autumn leaves."
「湖周围的树木的果实会变成红色或黄色，能看到美丽的红叶。」
「호수 주변의 나뭇잎이 빨갛고 노랗게 물들어 아름다운 단풍을 볼 수 있습니다.」
「Lá cây xung quanh hồ chuyển thành màu đỏ màu vàng. Ch
Quả cây xung quanh hồ chuyển thành màu đỏ màu vàng. Chúng ta có thể ngắm lá đỏ đẹp.」

41 正解：1

❓「『スカイベリー』という大きなイチゴがつくられました。『スカイベリー』はケーキに使われています。」

"A big strawberry called 'Skyberry' has been created. The 'Skyberry' is used for cakes."
「种出了品种名称为『皇海草莓』的大草莓。『皇海草莓』也用于制作蛋糕。」
「『스카이베리』라는 큰 딸기가 만들어졌습니다. 『스카이베리』는 케이크에 사용됩니다.」
「Giống dâu tây to gọi là 『skyberry』được tạo ra. Skyberry được sử dụng để làm bánh ga-tô.」

42 正解：3

❓「2から3段落で、旅行で行くと楽しい場所を、4段落目で栃木のおいしい食べ物を紹介しています。」

Paragraphs 2 to 3 introduce good places to go on a trip and the 4th paragraph introduces delicious food in Tochigi.
从第 2 段到第 3 段，是介绍旅行时的景点，第 4 段是介绍栃木的美食。
2 에서 3 단락까지 여행을 가면 즐거운 장소를, 4 단락째에 도치기의 맛있는 음식을 소개하고 있습니다.
Từ đoạn thứ 2 đến đoạn thứ 3 giới thiệu những điểm vui chơi khi du lịch, còn đoạn thứ 4 giới thiệu những món ăn ngon của tỉnh Tochigi.

情報検索
じょうほうけんさく

(1)

43 正解：4

❓「1日の予定がたくさん書けます。」

"You can write a lot of plans each day."
「一天的计划能写很多。」
「하루의 예정을 많이 쓸 수 있습니다.」
「Có thể viết nhiều dự định trong một ngày.」

「Aタイプやcタイプよりも大きいです。」

"It's bigger than the A type and the C type."
「比 A 类型和 C 类型尺寸大。」
「A 타입이나 C 타입보다 큽니다.」
「To hơn kiểu A hoặc kiểu C.」

44 正解：3

❓「家族の予定を書くところがあります。」

"There is a space for you to write your family's plans."
「有地方写家人的计划。」
「가족의 예정을 쓸 곳이 있습니다.」
「Có chỗ để viết dự định của gia đình vào.」

(2)

45 正解：3

❓「テストにおくれても、終わりの時間は変わりません。」

"Even if you are late for the test, the time the test ends will not change."
「即使考试迟到了，考试的结束时间还是不会变」
「테스트에 늦어도 끝나는 시간은 변하지 않습니다.」
「Dù đến muộn giờ thi, thời gian kết thúc không được thay đổi.」

9

「はやくテストが終わったら、11時30分から教室を出てもいいです。」
"If you finish the test early, you may leave the classroom after 11.30."
「如果做完考卷，11点30分后就能离开教室。」
「테스트를 빨리 끝냈다면 11시 30분부터 교실을 나가도 됩니다.」
「Trong trường hợp làm bài xong sớm, có thể ra khỏi phòng học sau 11 giờ 30.」

46 正解：4

「一度教室を出たら、12時まで教室に入ることはできません。」
"Once you have left the classroom, you cannot enter it until 12 o'clock."
「一旦走出教室，12点之前就不能进教室了。」
「한 번 교실을 나오면 12시까지 교실에 들어갈 수 없습니다」
「Đã ra khỏi phòng học một lần rồi thì không được vào phòng cho đến 12 giờ.」

（3）

47 正解：2

大人（ケンさんとおくさん）は600円なので、2人で1200円です。7才の子どもは300円です。全部で1500円です。

For adults, (Ken and his wife), it's ¥600, so that's ¥1,200 for two people. For a 7-year-old, it's ¥300, so that's ¥1,500 altogether.
成人（健先生和夫人）是600日元，两人是1200日元。7岁的儿童是300日元。全部1500日元。
어른（겐 씨와 부인）은 600엔이니까 2사람은 1200엔입니다. 7살 아이는 300엔입니다. 전부 1500엔입니다.
Người lớn (Anh Ken và cô vợ) hết 600 yên, nên 1200 yên cho hai người. Còn trẻ em 7 tuổi hết 300 yên. Tổng cộng là 1500 yên.

48 正解：3

「団体（10人以上）大人（大学生）500円」です。10人なので、5000円です。
"Adults (including university students) in a group (more than 10 people) are ¥500." There are 10 people, so that's ¥5,000.
「团体（10人以上）成人（大学生）是500日元」10人是5000日元。
「단체 (10명 이상) 어른 (대학생) 500엔입니다.」 10명이니까 5000엔입니다.
「Giá đoàn thể (10 người trở lên) là một người lớn (sinh viên đại học) hết 500 yên」 10 người hết 5000 yên.

「※団体はチケットを予約してください。」
" ※ Please book group tickets in advance."
「※团体请预约买票。」
「※단체는 티켓을 예약해 주세요.」
「※ Xin khách đoàn thể hãy đặt trước vé.」

（4）

49 正解：4

「月曜日〜水曜日の3時から5時　予約しなくてもいいです。」
"Between 3 o'clock and 5 o'clock from Monday to Wednesday, you do not need to make a booking."
「周一到周三的三点到五点，不用预约也行。」
「월요일〜수요일의 3시부터 5시 예약하지 않아도 됩니다.」
「Từ ngày thứ 2 đến ngày thứ 4, từ 3 giờ đến 5 giờ thì không cần đặt trước.」

「みんなで場所をわけて使うか、一緒に試合をするなどしてください。」
"Please share the space among you, or play matches together and so on."
「请大家平均分配使用场地或者一起比赛。」
「모두가 장소를 나누어서 사용하든지 함께 시합을 하든지 해주세요.」
「Hãy phân chia chỗ với mọi người để sử dụng hoặc chơi chung cùng mọi người.」

50 正解：3

「貸出ノートに、クラス、名前、借りる物の番号、借りた日を書きます。」
"Write your class, your name, the number of the item you are borrowing, and the date you have borrowed it in the notebook."
「借出记录本上要写明班级、姓名、借出品的番号和借的日期。」
「대출 노트에 반, 이름, 빌리는 물건의 번호, 대출일을 씁니다.」
「Viết tên lớp, họ tên, số thứ tự của đồ mượn và ngày mượn vào sổ mượn đó.」

「使ったあと、必ずその日に返してください。」
"When you have finished using it, be sure to return it on the same day."
「使用后，到期请务必返还。」
「사용한 다음에는 반드시 그 날에 돌려주세요.」
「Sau khi sử dụng xong, hãy nhất định trả lại trong ngày hôm đó.」

(5)

51 正解：1

🗣「子どものために、小さいプールをつくりましょう！」

"Let's make a small pool for children!"
「为孩子做个小游泳池吧！」
「아이를 위해 작은 풀을 만듭시다！」
「Hãy xây dựng bể bơi nhỏ dành cho trẻ em!」

「町のお金だけでは、あまりいいプールができません。」

"A good pool can't be built only with the town's money."
「仅仅用市里的资金，不太能建成好的游泳池。」
「마을의 돈만으로는 그다지 좋은 풀을 만들수 없습니다.」
「Bể bơi tốt không thể được xây dựng chỉ bằng tiền của thành phố.」

52 正解：3

さとうけんたさんは、ぼうし、ネームプレート、「子どものプールのチケット（5回、使えます）」をもらいます。ゆみこさんは、ぼうしをもらいます。だから、ぼうしは二つです。

Sato Kenta-san gets a hat, a name plate and "5 tickets for use at the chldren's pool". Yumiko gets a hat. So that's 2 hats.
佐藤健太先生要去领帽子、名牌和「儿童泳池的票（5次、能使用）」。由美子女士要去领帽子。所以，需要两顶帽子。
사토 겐타 씨는 모자, 명찰「어린이용 풀장 티켓 (5번 사용할 수 있습니다)」을 받습니다. 유미코 씨는 모자를 받습니다. 그래서 모자는 2 개입니다.
Sato Kenta nhận mũ, bảng tên và 「vé bể bơi dành cho trẻ em (có thể sử dụng 5 lần)」. Còn Yumiko nhận mũ. Vì vậy có 2 chiếc mũ.

(6)

53 正解：3

🗣「長い時間使ったとき、カメラが熱くて、ボタンが押せないことがあります。冷たくなるまで待ってください。」

"When you use it for a long time, the camera gets hot and sometimes you cannot push the button. Please wait until it cools down."
「长时间使用时，相机会发热，有时候还不能按快门。那就请等相机凉下来再说。」
「장시간 사용했을 때 카메라가 뜨거워져 버튼을 누를 수 없을 경우가 있습니다. 식을 때까지 기다려 주세요.」
「Có khi máy ảnh nóng lên đến mức không thể bấm nút sau khi sử dụng trong thời gian lâu. Hãy chờ cho đến khi máy nguội đi.」

54 正解：4

🗣「使うのをすぐにやめてください。店ではなく、サービスセンター（0120- 00xx -xxxx）にご連絡ください。」

"Please stop using it straightaway. Please contact the customer service centre, not the shop."
「请停止使用。不用和店铺联系，请与服务中心联系。」
「사용을 곧 중지하세요. 가게가 아니라 서비스센터에 연락하세요.」
「Hãy ngừng sử dụng ngay. Hãy liên lạc đến Trung tâm dịch vụ chứ không phải cửa hàng.」

PART 3 模擬試験

第1回

もんだい1

（1）

1 正解：3

❓「さいふやお金など、大切なものはいつも持っていてください。」

"Keep your purse, money and other valuable things with you at all times."
「钱包和钱这些重要的东西请随身携带。」
「지갑이나 돈 등 중요한 것은 항상 가지고 있어주세요．」
「Những đồ quý như ví hoặc tiền v.v.. thì hãy luôn luôn mang theo.」

（2）

2 正解：2

❓「(女の人は)『黒いねこを見ると悪いことが起こる』と思っています。」「わたしのねこは、せなかが黒くて、おなかが白いねこです。」
わたしが、ねこのおなかを見せたので、女の人は、黒いねこではないとわかりました。

"(The woman) believes, 'if (she) sees a black cat, something bad will happen'." "My cat is a cat with a black back and a white belly."
I showed (her) the cat's belly, so the woman realised it wasn't a black cat.
「(那个女人)认为『看到黑猫会发生不好的事情』。」「我的猫背上黑的，肚子是白色的。」
我把猫肚子给她看了，女人知道不是黑猫了。
「(여자는)『검은 고양이를 보면 나쁜 일이 일어난다』고 생각하고 있습니다．」「내 고양이는 등이 검고 배가 하얀 고양이입니다．」
내가 고양이의 배를 보여주었기 때문에 여자는 검은 고양이가 아니라고 알았습니다．
「(Người phụ nữ) nghĩ rằng『sẽ gặp điều xui khi nhìn thấy mèo đen』.」「Con mèo của tôi lưng màu đen bụng màu trắng.」
Tôi cho người phụ nữ xem phần bụng của mèo, vì vậy người phụ nữ biết được rằng mèo đó không phải là mèo đen.

（3）

3 正解：3

来月、10日から12日まで、本屋の大きなイベントがあります。あいさんは、まゆこさんは本が好きだから見に来たらいいと思っています。

Next month, from the 10th to the 12th, there will be a big event of book shops. Ai thinks that because Mayuko likes books, she should come to see it.
下个月的10号到12号，书店有个大型活动。我想爱和麻友子因为喜欢书会过来看的。
다음 달 10일부터 12일까지 책방의 큰 이벤트가 있습니다．아이 씨는 마유코 씨가 책을 좋아하니까 보러 오면 좋겠다고 생각하고 있습니다．
Từ ngày 10 đến ngày 12 tháng sau, hiệu sách sẽ tổ chức một sự kiện lớn. Cô Ai nghĩ rằng cô Mayuko nên đến xem vì cô ấy thích đọc sách.

（4）

4 正解3

❓「わたしも、朝活をしてみたいと思いましたが、何をやればいいかよくわかりません。今けがをしているからスポーツはできないし、わたしの趣味は寝ることだからです。」

"I thought I would like to try ASAKATSU (doing something in the mornings before work) too, but I don't really know what to do. That's because I have an injury now and can't do any sport and because my hobby is sleeping."
「我也想早上活动一下，但不知道做什么好。因为现在受伤了，也运动不了，而且我的爱好就是睡觉。」
「나도 아침 활동을 해보고 싶습니다만 무엇을 하면 좋을지 잘 모르겠습니다．지금 다쳐서 스포츠는 할 수 없고 내 취미는 자는 것이기 때문입니다．」
「Tôi cũng nghĩ là muốn làm thử hoạt động buổi sáng, nhưng cũng không biết rõ nên làm gì. Vì hiện giờ tôi bị thương nên không thể chơi thể thao và sở thích của tôi là ngủ.」

もんだい2

ことばと表現

□ **中華料理** Chinese food／中国菜／중화요리／món ăn Trung Quốc

- 生(なま) raw, uncooked ／生的／생／sống tươi
- 煮(に)たり (煮(に)ます) to boil, to stew ／煮／끓이다／nấu
- くさい smelly, smelling bad ／臭的／악취가 나다／hôi thối
- 焼(や)き鳥(とり) charcoal-grilled chicken on a skewer ／烤鸡串／닭꼬치구이／gà nướng

5 正解：4

「日本料理はすしやさしみやサラダなど、生のまま食べるものしかないと思っていた」

"I thought Japanese food was only uncooked food like sushi, sashimi and salad."
「我还以为日本料理只有寿司、生鱼片和蔬菜沙拉这些生吃的东西呢。」
「일본요리는 초밥이나 회나 샐러드 등 생으로 먹을 수 있는 것밖에 없다고 생각하고 있었다.」
「Cứ tưởng là món ăn Nhật Bản chỉ có những món ăn sống như sushi, gỏi cá hoặc sa lát v.v..」

6 正解：3

「しょうこさんがわたしと行きたいと言うので、行くことにしました。」

"Shoko says she wants to go with me, so I've decided to go."
「翔子说想和我一起去，于是我们一起去了。」
「쇼코 씨가 나와 가고 싶다고 해서 가기로 했습니다.」
「Cô Shoko bảo muốn đi cùng với tôi, nên tôi quyết định đi.」

7 正解：1

「天(てん)ぷらや焼(や)き鳥(とり)など、いろいろな料理を食べました。」

"I ate a variety of food like tempura and grilled chicken on skewers."
「我们吃了天妇罗、烤鸡串等各种料理。」
「튀김이나 닭꼬치 구이 등 여러 요리를 먹었습니다.」
「Ăn nhiều loại món ăn như đồ tẩm bột chiên, gà nướng xiên v.v..」

「日本料理に火を使った料理はないと思っていたので、びっくりしました。」

"I had thought there wasn't any cooked food in Japan, so I was surprised."
「我本以为日本料理没有用火的，吓了一跳。」
「일본 요리는 불을 사용한 요리는 없다고 생각하고 있었기 때문에 놀랐습니다.」
「Đã tưởng rằng món ăn Nhật Bản không có món nào sử dụng lửa, nên rất ngạc nhiên.」

8 正解：2

「日本にきたばかりのころ、わたしは中華料理ばかり食べていました。」

"When I had just arrived in Japan, I ate only Chinese food."
「刚来日本时，我光吃中国菜。」
「일본에 온지 얼마 안 되었을 무렵 저는 중화요리만 먹었습니다.」
「Khi mới sang Nhật, tôi toàn ăn món ăn Trung Quốc.」

「わたしはそれから日本料理が好きになり、日本料理を作るようにもなりました。」

"Since then I've come to like Japanese food and have started to make Japanese food."
「之后我喜欢上了日本料理，也开始做日本料理了。」
「나는 그 후 일본요리를 좋아하게 되어 일본요리를 만들게도 되었습니다.」
「Rồi sau đó tôi thích ăn món Nhật và cũng tự nấu món Nhật.」

もんだい3

ことばと表現(ひょうげん)

- 校外学習(こうがいがくしゅう) a learning activity outside school, a field trip ／校外实践学习／체험학습／học tập ngoại khoá
- インスタントラーメン博物館(はくぶつかん) The Museum of Instant Ramen ／拉面博物馆／인스턴트 라면 박물관／bảo tàng mì ăn liền
- 集合(しゅうごう) meeting, getting together ／集合／집합／tập hợp

9 正解：3

「※休(やす)む時(とき)、おくれそうな時(とき)は、学校(がっこう)に連絡(れんらく)する。」

" ※ If you are going to be absent or late, contact the school."
「※休息时，如果要迟到，请与学校联系。」
「※결석 할 때나 늦을 것 같을 때는 학교에 연락한다.」
「※ Khi nghỉ hoặc đến muộn thì phải liên lạc đến trường.」

「※１０分(ぷんいじょう)以上おくれる場合(ばあい)は、自分(じぶん)で

博物館まで行く。」
「※ If you are more than 10 minutes late, please make your own way to the museum.」
「※ 10 分钟以上迟到时，请自己去博物馆。」
「※ 10 분 이상 늦는 경우에는 혼자서 박물관까지 간다．」
「※ Nếu đến muộn hơn 10 phút thì phải tự đi đến bảo tàng.」

「※博物館のチケットは先生が持っているので、自分で買わない。」
「※ The teacher has the tickets for the museum, so do not buy one yourself.」
「※博物馆的票是老师拿着的，自己不用买了。」
「※박물관 티켓은 선생님이 가지고 계시므로 개인으로 사지 않는다．」
「※ Giáo viên cầm vé bảo tàng, nên không được tự mua.」

10 正解：4

「自分でインスタントラーメンを作ってみましょう。」
"Try making your own instant ramen."
「自己泡方便面吧。」
「스스로 인스턴트 라면을 만들어 봅시다．」
「Hãy tự làm mì ăn liền.」

「世界で一つだけのインスタントラーメンがお昼ごはんです。」
"Your lunch will be the only instant ramen in the world."
「这世界上唯一的拉面就是午饭。」
「세계에서 하나뿐인 인스턴트 라면이 점심입니다．」
「Mì ăn liền duy nhất trên thế giới là bữa ăn trưa.」

第2回

もんだい1

(1)
ことばと表現

□ 店主　shop owner, restaurant owner／店主／가게 주인／chủ cửa hàng

1 正解：1

店主は、きのう、事故でけがをしました。今日は料理ができません。

The restaurant owner was injured in an accident yesterday. He can't do the cooking today.
店主人昨天因为事故受伤了。今天不能做菜。
가게 주인은 어제 사고로 다쳤습니다．오늘은 요리를 할 수 없습니다．
Hôm qua chủ quán bị thương do tai nạn. Hôm nay không thể nấu ăn.

(2)
ことばと表現

□ スタジアム　stadium／球场、体育场／경기장／sân vận động

2 正解：2

「人がたくさんいても、坂井くんを見つけられたので、うれしかったです。」

"Even though there were a lot of people, I managed to find Sakai-kun. So I was happy."
「那么多人还能找到坂井，真让人高兴。」
「사람이 많이 있어도 사카이 군을 발견할 수 있어서 기뻤습니다．」
「Tôi rất vui khi có thể tìm thấy bạn Sakai dù đông người.」

(3)
ことばと表現

□ ルームメート　roommate／室友／룸메이트／bạn cùng phòng

□ えさ　food (for an animal)／饵料／먹이／đồ ăn cho động vật

3 正解：2

「なくなっていなくても、毎日かえてください。」

"Even if there's some left, please change it every day."
「就算是没有不在，每天也请更换。」
「없어지지 않았어도 매일 바꾸어 주세요．」
「Mặc dù chưa hết nhưng cứ thay đổi hàng ngày.」

(4)
ことばと表現

□ 山登り　mountain climbing／登山／등산／leo núi

4 正解：4

わたしが、山の本を好きな理由が、この文章に書いてあります。

The reason why I like books about mountains is written in the passage.
我喜欢山之书的理由写在这篇文章里。
내가 산에 관한 책을 좋아하는 이유가 이 문장에 쓰여 있습니다.
Có lí do tôi thích đọc sách về núi được viết trong bài này.

もんだい2

ことばと表現

- □ サイズ　size／尺寸／사이즈／kích thước
- □ センス　taste／感觉／센스／cảm giác, cảm nhận
- □ すてきな　pretty／漂亮的／멋짐／tuyệt vời
- □ インターネット　Internet／网络／인터넷／mạng, internet
- □ スマートフォン　smart phone／智能手机／스마트폰／điện thoại thông minh

5 正解：3

♀「その人は、病気で薬を飲み始めてから太ってしまったと言いました。今までの服が着られなくなったので、困っていたのだそうです。」

"That person said that she has unfortunately put on weight since she started taking medicine for an illness. She can't fit into her clothes any more, so she's having a hard time."
「那个人说，自从生病吃了药以后就变胖了。据说自己以前的衣服都穿不了啦，很烦恼。」
「그 사람은 병으로 약을 먹고부터 뚱뚱해졌다고 했습니다. 지금까지의 옷을 입을 수 없어서 곤란했다고 합니다.」
「Người đó nói rằng đã béo lên sau khi bắt đầu uống thuốc chữa bệnh. Người đó cũng nói rằng cảm thấy phiền phức vì không mặc được những bộ quần áo trước đây nữa.」

6 正解：1

♀「わたしは太って見えるのでしょうか。残念です。」

"Do I look fat? That's a shame."
「我看起来胖吗？真可惜。」
「제가 뚱뚱해 보입니까？ 속상해요.」
「Có phải chăng là tôi trông béo. Thật là sự xấu hổ.」

7 正解：2

♀「わたしがすてきな服を着ているので、どの店か知りたかったと言いました。」

"Because I wear nice clothes, she said she wanted to know which shop (I had bought them at)."
「她跟我说看到我穿的衣服很漂亮，想知道衣服在哪个店买的。」
「제가 멋진 옷을 입고 있어서, 어느 가게인지 알고 싶었다고 했습니다.」
「Người đó nói rằng vì tôi mặc bộ quần áo đẹp, nên muốn biết tôi mua quần áo ở cửa hàng nào.」

8 正解：4

♀「わたしは、『インターネットでも服を買うことができますよ。』と言いました。その人は、『どうやればいいですか』ときくので、わたしは、それを説明してあげました。」

" I said ' You can buy clothes even on-line.' She asked me 'What should I do?', so I explained."
「我说『也能在网上买衣服』。她问我，『怎么买』？我跟她说了怎么买。」
「나는『인터넷으로도 옷을 살 수 있어요.』라고 했습니다. 그 사람이『어떻게 하면 돼요？』라고 물어서 나는 그것을 설명해 주었습니다.」
「Tôi bảo『có thể mua quần áo ở cả trên mạng』. Người đó hỏi『làm bằng cách nào?』cho nên tôi giải thích cho.」

もんだい3

ことばと表現

- □ 人気（にんき）　popularity／受欢迎／인기／được ưa thích
- □ 作家（さっか）　novelist, writer／作家／작가／nhà văn

9 正解：2

♀「おもしろい本を読みたいけれども、どんな本を借りたらいいかわからなくて、困っていませんか。」

"Don't you have a problem because you want to read an interesting book but you don't know what kind of book you should borrow?"
「想读有趣的书，而又不知道借什么书好，是不是感到有

15

些为难?」
「재미있는 책을 읽고 싶은데 어떤 책을 빌리면 좋을지 몰라서 고민하고 있지 않으세요?」
「Bạn có băn khoăn vì dù muốn đọc cuốn sách nào hay nhưng không biết nên mượn sách như thế nào không?」

10 正解：3

「世界の美しいホテルやおいしいレストランがたくさん紹介されています。旅行が好きな人は読みましょう。」

"A lot of beautiful hotels and good restaurants around the world are introduced. People who like travelling should read it."

「介绍了世界上很多漂亮的酒店和美味的餐厅。喜欢旅行的人读一下吧。」

「세계의 아름다운 호텔이나 맛있는 레스토랑이 많이 소개되어 있습니다. 여행을 좋아하는 사람은 읽읍시다.」

「Rất nhiều khách sạn đẹp đẽ và nhà hàng ngon miệng trên khắp thế giới được giới thiệu. Ai thích đi du lịch thì hãy đọc.」